PETITS POÈMES EN PROSE ·
(LE SPLEEN DE PARIS)

CHARLES BAUDELAIRE

PETITS POÈMES EN PROSE

(LE SPLEEN DE PARIS)

Chronologie et introduction

par

Marcel A. Ruff
doyen de la Faculté des Lettres
et Sciences humaines de Nice

GF

FLAMMARION

CHRONOLOGIE

1711 (19 mars) : Naissance de Claude Baudelaire, grand-père du poète, à La Neuville-au-Pont (près de Sainte-Menehould).

1759 (7 juin) : Naissance de Joseph-François Baudelaire, père du poète, au même village. Répétiteur à Sainte-Barbe de 1783 à 1785, puis précepteur chez les Choiseul-Praslin. Par attachement à cette famille il refuse la cure de Dommartin-sous-Hans, canton de La Neuville-au-Pont, à laquelle il était élu le 9 mai 1791. De 1800 à 1814 il sert dans l'administration du Sénat où il devient en 1804 chef des bureaux de la préture. Le 7 mai 1797 il avait épousé Jeanne-Justine-Rosalie Janin qui lui donne un fils, Claude-Alphonse, le 18 janvier 1805.

1793 (27 sept.) : Naissance de Caroline-Archenbaut Defayis, mère du poète, à Londres. Devenue complètement orpheline à la mort de sa mère, le 23 nov. 1800, elle est recueillie par Pierre Pérignon, vieil ami de Joseph-François Baudelaire.

1819 (9 sept.) : J.-Fr. Baudelaire, devenu veuf en 1814, épouse Caroline Defayis.

1821 (9 avril) : Naissance de Charles-Pierre Baudelaire, 13; rue Hautefeuille.

1822 (25 sept.) : *Le Centaure,* poème en prose d'Alphonse Rabbe, paraît dans *l'Album* (reproduit dans les *Annales romantiques* de 1825, puis dans *l'Album d'un pessimiste,* 1835 et 1836).

1827 (10 févr.) : Mort de J.-Fr. Baudelaire. Au cours

des mois suivants, séjours de Charles avec sa mère à Neuilly, dans la « blanche maison, petite, mais tranquille ».

1828 (8 nov.) : Second mariage de Caroline avec le chef de bataillon Jacques AUPICK, né en 1789, blessé à Fleurus le 16 juin 1815 après avoir fait campagne depuis 1808, officier de la Légion d'honneur et, depuis une semaine, chevalier de Saint-Louis.

1830 (nov.) : Lieutenant-colonel depuis le 2 octobre, Aupick rejoint Lyon pour la répression des troubles, sous les ordres du maréchal Soult. Nommé le 7 déc. 1831 chef d'état-major de la 7e division, il fait venir à Lyon sa femme et son beau-fils.

1831 : Charles suit les cours du Collège royal de Lyon comme interne à la pension Delorme, puis au Collège même.

1836 (9 janv.) : Aupick, colonel depuis 1834 et commandeur de la Légion d'honneur, est nommé chef d'état-major de la 1re division militaire à Paris.

(1er mars) : Charles entre comme interne à Louis-le-Grand.

1838 : Pendant l'été, Baudelaire fait avec son beau-père un voyage dans les Pyrénées qui lui inspire le poème *Incompatibilité*.

1839 (12 août) : Renvoyé du lycée en avril pour refus de dénoncer un camarade, Baudelaire est reçu au baccalauréat, après avoir obtenu les années précédentes plusieurs distinctions au Concours général, dont le 2e prix de vers latins en 1837.

1839-1841 : Baudelaire prend quelques inscriptions à la Faculté de droit et se lie à la pension Bailly avec Prarond, Levavasseur, Chennevières et rencontre Balzac, Gérard de Nerval, Latouche.

1841 (9 juin) : Départ sur le *Paquebot-des-Mers-du-Sud* à destination de Calcutta, décidé par le ménage Aupick afin de protéger Baudelaire contre « la perte des rues de Paris » et « pour rompre quelques relations mauvaises ».

(4 nov.) : Après un séjour à l'île de France (île Maurice) Baudelaire refusant d'aller plus loin se rembarque à l'île Bourbon (La Réunion).

1842 : Baudelaire, de retour en février ou mars, entre en possession de l'héritage paternel à sa majorité et s'installe en juin dans l'île Saint-Louis. « Secondes liaisons littéraires : Sainte-Beuve, Hugo, Gautier, Esquiros ».

Formation de « l'Ecole Normande » : Levavasseur, Prarond, Dozon, Chennevières, Baudelaire.

(11 nov.) : Aupick, général depuis 1839, est nommé commandant du département de la Seine et de la Place de Paris, logé à l'hôtel de la Place, place Vendôme.

Publication posthume de *Gaspard de la Nuit*, par Aloysius Bertrand.

Publication de plusieurs poèmes en prose dans *Œuvres d'un désœuvré — Les Vespres de l'Abbaye du Val*, par Jules Le Fevre.

1843 : Le recueil collectif *Vers*, auquel Baudelaire devait collaborer avec Prarond, Levavasseur et Dozon, paraît sans ses poèmes.

(Mai) : Baudelaire s'installe dans un petit appartement sous les combles de l'hôtel Pimodan (baptisé hôtel de Lauzun vers 1850).

1843-1844 : Collaboration anonyme au *Tintamarre* et probablement aux *Mystères galans des théâtres de Paris*. Plusieurs textes refusés — dont sans doute *La Fanfarlo* — par divers périodiques.

Commencement de la liaison avec « Jeanne Duval ».

1844 (21 sept.) : Baudelaire, qui a dépensé en deux ans la moitié de son patrimoine, est pourvu d'un conseil judiciaire, Me Ancelle, notaire de la famille, de qui il recevra désormais une mensualité de 150 à 200 francs.

1845 : Le peintre et musicien Fernand Boissard de Boisdenier vient occuper le premier étage de l'hôtel Pimodan et y donne des soirées où on s'initie parfois au haschisch (« club des haschischins »).

(Mai) : Publication du *Salon de 1845*.

(25 mai) : *A une Dame créole*, sonnet écrit à l'île Bourbon en 1841, paraît dans *l'Artiste* (c'est le premier poème de Baudelaire qui ait été imprimé).

(30 juin) : Tentative de suicide, suivie d'un séjour

de plusieurs mois chez ses parents, place Vendôme.
Vers la fin de l'année rupture définitive avec le général Aupick.

Regain d'activité littéraire de la part de Baudelaire
dont les articles, essais et poèmes vont se succéder
dans les périodiques jusqu'en 1848.

(Octobre) : Première annonce de la publication pro-
chaine des *Lesbiennes*, par « Baudelaire-Dufays ».
Nouvelle édition augmentée des *Œuvres d'un
désœuvré* par J. Le Fevre Deumier.

1846 (21 janvier) : *Le Musée classique du Bazar Bonne-
Nouvelle*, dans *le Corsaire-Satan*.

(Mai) : *Le Salon de 1846*.

1847 (janvier) : *La Fanfarlo* paraît dans le *Bulletin de
la Société des Gens de lettres*.

(28 nov.) : Le général Aupick est nommé commandant de l'Ecole polytechnique. Date présumée de la
lettre qui marquerait le commencement des relations
avec l'actrice Marie Daubrun.

1848 (févr.) : Baudelaire combat aux côtés des révolu-
tionnaires.

(Févr.-mars) : Baudelaire fonde et rédige avec Champ-
fleury et Toubin *le Salut public* (2 numéros).

(10 avril-6 mai) : Baudelaire secrétaire de la rédac-
tion de *la Tribune nationale*.

(13 avril) : Le général Aupick nommé ministre plé-
nipotentiaire de la République à Constantinople.

(Juin) : Baudelaire prend part aux combats des journées de juin.

(15 juillet) : Dans *la Liberté de penser*, publication
de la première traduction d'Edgar Poe par Baudelaire : *Révélation magnétique*.

(Octobre) : Baudelaire rédacteur en chef éphémère
du *Représentant de l'Indre* à Châteauroux.

(8 déc.) : Baudelaire écrit à sa mère qu'il n'aime
Jeanne Duval « *depuis longtemps que par devoir*,
voilà tout ».

1849 (13 juill.) : Première mention de Wagner « que
l'avenir consacrera le plus illustre parmi les maîtres ».

Déc.-janv. 1850 : Bref séjour à Dijon pour des raisons non encore éclaircies.

1851 (7, 8, 11, 12 mars) : *Du vin et du hachish (sic)* dans *le Messager de l'Assemblée.*

(18 juin) : Le général Aupick nommé ambassadeur à Madrid.

(Fin août) : Notice sur *Pierre Dupont.*

(27 nov.) : *Les Drames et les Romans honnêtes* dans *la Semaine théâtrale.*

(2 décembre) : Coup d'Etat. Participation de Baudelaire aux combats de rues : « Ma fureur au coup d'Etat. Combien j'ai essuyé de coups de fusil. »

1852 (22 janv.) : *L'Ecole païenne* dans *la Semaine théâtrale.*

(Mars et avril) : *Edgar Allan Poe, sa vie et ses ouvrages* dans la *Revue de Paris.*

(9 déc.) : Première lettre à Mme Sabatier, accompagnant le poème *A Celle qui est trop gaie.* Comme les suivantes cette lettre n'est pas signée : « Les sentiments profonds ont une pudeur qui ne veut pas être violée. »

1853 (1er mars) : Traduction du *Corbeau* dans *l'Artiste.*

(8 mars) : Le général Aupick nommé sénateur rentre en France et partage son temps entre Paris et Honfleur où il a acheté la « maison-joûjou ».

(17 avril) : Publication de *Morale du Joujou* dans *le Monde littéraire* (reproduit dans *le Portefeuille* du 19 août 1855, puis dans *le Rabelais* du 13 juin 1857).

1854 : Jules Le Fevre Deumier publie *le Livre du promeneur, ou les Mois et les Jours,* qui contient de nombreux poèmes en prose.

1855 (5 avril) : Baudelaire écrit à sa mère qu'il a été contraint de déménager six fois en un mois.

(7 avril) : Le titre des *Fleurs du mal* apparaît pour la première fois dans une lettre à Victor de Mars, secrétaire de la *Revue des Deux Mondes.*

(Mai) : Dans *Fontainebleau — Hommage à C.-F. Denecourt,* recueil collectif, les deux premiers poèmes en prose de Baudelaire, *le Crépuscule du soir* et *la Solitude,* paraissent avec *les Deux Crépuscules,* en vers (déjà publiés en 1852), le tout précédé d'une lettre à Fernand Desnoyers contre le culte de la nature, « Religion nouvelle, qui aura toujours, ce me semble, pour tout être *spirituel,* je ne sais quoi de *shocking.* »

(1er juin) : Publication de 18 poèmes, sous le titre *les Fleurs du mal,* dans la *Revue des Deux Mondes.*

(8 juill.) : *De l'essence du Rire et généralement du Comique dans les Arts plastiques,* dans *le Portefeuille.*

(12 août) : *L'Exposition universelle de 1855,* II, dans *le Portefeuille,* la première et la troisième partie ayant paru dans *le Pays* le 26 mai et le 3 juin. En 1855 Baudelaire commence probablement à prendre des notes en vue d'un livre qui ne sera jamais écrit, notes dont la publication posthume a été faite en deux séries : *Fusées* et *Mon cœur mis à nu,* sous le titre global de *Journaux intimes.*

1856 (12 mars) : Mise en vente des *Histoires extraordinaires* (Michel Lévy, éd.), les contes ayant tous paru antérieurement sauf *le Scarabée d'or.*

(11 sept.) : Baudelaire annonce à sa mère que Jeanne Duval a décidé, malgré sa résistance, de rompre leur liaison : « Je suis resté pendant dix jours sans sommeil, toujours avec des vomissements, et obligé de me cacher, parce que je pleurais toujours. » Il continuera à s'occuper d'elle jusqu'à sa mort, s'installera même momentanément avec elle, devenue infirme, en 1860, mais son rôle ne sera plus que celui « de papa et de tuteur » ou de « sœur de charité » (1859).

(30 déc.) : Traité avec Poulet-Malassis à qui Baudelaire vend *les Fleurs du mal* et *Bric-à-brac esthétique* (la matière des *Curiosités esthétiques*).

1857 (8 mars) : Mise en vente des *Nouvelles Histoires extraordinaires* (Michel Lévy) avec, en préface inédite, les *Notes nouvelles sur Edgar Poe.*

(25 avril) : Première mention de *Poèmes nocturnes* dans une lettre à Poulet-Malassis.

(28 avril) : Mort du général Aupick. Sa veuve va se retirer à Honfleur.

(25 juin) : Mise en vente des *Fleurs du mal.*

(20 août) : Pour délit d'outrages à la morale publique, Baudelaire est condamné à 300 francs d'amende. Le tribunal ordonne la suppression de six poèmes.

(24 août) : Publication de six poèmes en prose, dans *le Présent*, sous le titre collectif de *Poèmes nocturnes*.
(30 août) : Mme Sabatier, à qui Baudelaire venait de dévoiler son anonymat, se donne à lui et reçoit le lendemain une lettre qui met fin à leur liaison (« il y a quelques jours, tu étais une divinité, ce qui est si commode, ce qui est si beau, si inviolable. Te voilà femme maintenant »), mais non à leurs relations amicales.

1858 (13 mai) : Mise en vente des *Aventures d'Arthur Gordon Pym.*
(30 sept.) : *De l'Idéal artificiel — Le Haschisch*, dans la *Revue contemporaine.*
(Octobre) : Bref séjour de Baudelaire à Honfleur.

1859 (janv.-mars, puis mai-juin et déc.) : Séjours à Honfleur.
(10 et 20 juin, 10 et 20 juillet) : *Salon de 1859* dans la *Revue française.*
(Novembre) : Plaquette sur *Théophile Gautier* (texte paru le 13 mars dans *l'Artiste*).

1860 (13 janv.) : Première crise (cérébrale ?), très brève. (15 et 31 janv.) : *Enchantements et Tortures d'un Mangeur d'Opium* dans la *Revue contemporaine.*
(17 févr.) : Longue lettre à Wagner après audition de fragments du *Vaisseau fantôme*, de *Tannhauser* et de *Lohengrin*.
(Fin mai) : Mise en vente des *Paradis artificiels.*
(Octobre) : Court séjour à Honfleur.
(15 nov.) : Baudelaire reçoit du ministre de l'Instruction publique une « indemnité littéraire » de 500 francs pour *les Fleurs du mal.*

1861 (début de févr.) : Mise en vente de la seconde édition des *Fleurs du mal.*
(1er avril) : Article sur *Richard Wagner* dans la *Revue européenne.*
(4 mai) : *Richard Wagner et Tannhäuser à Paris*, plaquette publiée chez Dentu.
(1er nov.) : 9 *Poèmes en prose* dans la *Revue fantaisiste.*
(15 nov.) : Baudelaire pose sa candidature à l'Académie française.

1862 (23 janv.) : Alerte grave de Baudelaire qui a senti
passer sur lui « le vent de l'aile de l'imbécillité ».
(10 févr.) : Baudelaire se désiste de sa candidature à
l'Académie, malgré un article assez favorable de
Sainte-Beuve à ce sujet.
(14 avril) : Mort de Claude-Alphonse Baudelaire
(hémorragie cérébrale avec hémiplégie).
(2 août) : Publication du tome IV des *Poètes français*, anthologie dirigée par Eugène Crépet, qui
contient sept poèmes de Baudelaire, précédés d'une
notice par Th. Gautier, ainsi que sept notices par
Baudelaire sur quelques-uns des poètes les plus
importants de l'époque, Victor Hugo, Th. Gautier,
Th. de Banville, M. Desbordes-Valmore.
(26 et 27 août) : *14 Petits Poèmes en prose*, précédés
de la *Dédicace* à Arsène Houssaye, dans *la Presse*.
Les six suivants paraissent dans *la Presse* du 24 septembre.
(12 nov.) : Poulet-Malassis est arrêté sur la plainte
d'un de ses créanciers et incarcéré.
1863 (du 10 juin au 10 décembre) : Publication de *9 Petits
Poèmes en prose* (ou *Poèmes en prose*) dans la *Revue
nationale et étrangère* du 10 juin, le *Boulevard* du
14 juin, la *Revue nationale et étrangère* des 10 octobre
et 10 décembre.
(7 juill.) : Baudelaire exprime pour la première
fois son désir de quitter la France : « Je suis très las
de la France et je désire l'oublier pendant quelque
temps ».
(Sept.) : Poulet-Malassis, condamné à un mois de
prison le 22 avril, gagne la Belgique pour y vivre de
publications plus ou moins clandestines.
(1er nov.) : Baudelaire cède à Michel Lévy, pour
2 000 francs, la propriété de cinq volumes de tra-
ductions (dont deux sont encore à paraître).
(Fin nov.) : Mise en vente d'*Eureka* (précédé d'un
extrait de la notice de Griswold).
(26 et 28 nov., 3 déc.) : *Le Peintre de la vie moderne*
paraît dans *le Figaro*.
1864 (7 et 14 févr.) : Six petits poèmes en prose dans
le Figaro, sous le titre collectif : *le Spleen de Paris*,

Poèmes en prose, seule publication sous ce titre avec celle de la *Revue de Paris* du 25 décembre. Entre les deux, *l'Artiste* publie trois *Petits Poèmes en prose*.

(24 avril) : Baudelaire arrive à Bruxelles (hôtel du Grand Miroir), où, après avoir formé divers projets pour l'utilisation de ce voyage, il s'est finalement engagé à faire une série de conférences.

(Mai-juin) : Cinq conférences de Baudelaire, dont trois sur les excitants *(Paradis artificiels)*. Echec dans l'ensemble, ainsi que pour la vente de ses œuvres littéraires, pour lesquelles il n'a plus d'éditeur. Baudelaire, aigri et malade, commence à prendre des notes en vue d'un ouvrage satirique sur, ou plutôt *contre*, la Belgique.

1865 (16 mars) : Mise en vente des *Histoires grotesques et sérieuses*.

(Juillet) : Graves difficultés financières de Baudelaire, débiteur de Poulet-Malassis, et qui, de plus, a vendu à Hetzel des œuvres déjà cédées à Poulet-Malassis. Celui-ci est désintéressé par les soins d'Ancelle, Hetzel ne récupérera une partie de la somme versée qu'après la mort de Baudelaire.

(16 et 20 nov., 23 déc.) : Trois articles très élogieux sur Baudelaire, dans *l'Art*, par le jeune Verlaine (21 ans).

1866 : Publication des *Epaves* (23 poèmes), par Poulet-Malassis, à Amsterdam [Bruxelles].

(Vers le 15 mars) : Baudelaire, frappé d'une attaque, fait une chute dans l'église Saint-Loup de Namur, qu'il visite avec Félicien Rops.

(30 mars) : Baudelaire, qui a été ramené à Bruxelles, est atteint d'hémiplégie, avec aphasie et ramollissement cérébral.

(31 mars) : Publication dans *le Parnasse contemporain* des *Nouvelles Fleurs du mal*, dont Baudelaire avait encore corrigé plusieurs erreurs typographiques la veille même de l'accident final.

(1er juin) : *2 Petits Poèmes lycanthropes* dans la *Revue du XIXe siècle*.

(2 juill.) : Après avoir été soigné à son hôtel et à l'institut Saint-Jean et Sainte-Elisabeth, Baudelaire,

auprès de qui sa mère était venue s'installer, est ramené à Paris et entre le 4 à la maison de santé du docteur Duval, près de l'Etoile.

1867 (31 août) : MORT DE BAUDELAIRE, enseveli le 2 septembre au cimetière Montparnasse.

(4 déc.) : Vente aux enchères, en étude notariale, de la propriété littéraire des œuvres de Baudelaire. Sur mise à prix de 1 000 francs, elle est adjugée pour 1 750 francs à Michel Lévy, seul enchérisseur. La publication en sept volumes en commence à la fin de 1868 et se termine en mai 1870.

1869 : Dans le tome IV des *Œuvres complètes* : *Petits Poèmes en prose*. *Les Paradis artificiels*. Le volume ne contient que cinq poèmes inédits, plus l'*Epilogue* en vers. Tout le reste avait déjà paru dans des revues.

1871 (16 août) : Mort de Mme Aupick à Honfleur.

INTRODUCTION

Dès que la poésie cesse d'être associée à un procédé mnémotechnique (s'il est vrai qu'elle l'ait été à l'origine), on peut dire que le premier pas est franchi dans la direction du poème en prose. La valeur proprement poétique du texte en devient l'élément essentiel. On peut concevoir cette valeur comme inséparable de certains effets de rythme, de consonances ou d'allitérations, mais il est évident que ce sont là des conventions qui varient selon les pays et les langages, et même selon les différents modes de poésie : savante, populaire, chantée, etc. Rien n'empêche de remplacer ces conventions par d'autres, de plus en plus souples, jusqu'au moment où elles s'évanouissent pour laisser le poème se définir comme tel par sa seule qualité poétique.

Pour beaucoup de raisons cette évolution ne s'est effectuée que très lentement. La poésie française s'est même longtemps développée dans le sens opposé et c'est quand la versification régulière a atteint sa plus grande rigueur que cette rigueur même, retranchée derrière ses barrières infranchissables, a mis à découvert le champ poétique qui s'étendait au-delà. Dès 1719, l'abbé Du Bos, influencé par le sensualisme de Locke, conteste l'efficacité des règles au nom de « l'impression que l'ouvrage fait sur nous » et déclare : « Il est de beaux Poèmes sans vers, comme il est de beaux vers sans poésie, et de beaux tableaux sans un riche coloris. » Une véritable offensive était déjà engagée alors contre le vers régulier et, à la suite de

Fénelon et de son *Télémaque,* de nombreux auteurs s'exercent à la poésie en prose, jusqu'à Chateaubriand dont la prose tout entière est constamment tournée vers la poésie.

Toutes ces tentatives font concurrence à la poésie régulière, mais dans un domaine nettement séparé. Le rempart n'a pas été abattu. Dans la première moitié du XIXᵉ siècle les deux formes d'expression poétique se rapprochent, avec les poèmes en prose d'Alphonse Rabbe, puis de Maurice de Guérin. La jonction la plus étroite se fait avec Louis (dit Aloysius) Bertrand, poète régulier dont l'œuvre la plus marquante est son recueil de poèmes en prose, *Gaspard de la Nuit, fantaisies à la manière de Rembrandt et de Callot,* publié en 1842, un an après sa mort.

C'est là le point de départ avoué de Baudelaire qui, dans sa lettre-préface à Arsène Houssaye, proclame ouvertement sa dette : « C'est en feuilletant, pour la vingtième fois au moins, le fameux *Gaspard de la Nuit,* d'Aloysius Bertrand (...), que l'idée m'est venue de tenter quelque chose d'analogue, et d'appliquer à la description de la vie moderne, ou plutôt d'*une* vie moderne et plus abstraite, le procédé qu'il avait appliqué à la peinture de la vie ancienne, si étrangement pittoresque. »

Nous savons effectivement par une lettre de Prarond que Baudelaire, dès la parution de *Gaspard de la Nuit,* en avait été vivement frappé. Cette même année 1842, Jules Le Fevre (plus tard Le Fevre-Deumier) publiait *les Vespres de l'abbaye du Val,* où se trouvaient 18 des 366 pièces en prose qui devaient former *le Livre du promeneur,* en 1854. Plusieurs autres de ces pièces avaient paru dans *l'Artiste* que Le Fevre a dirigé de 1845 à 1847. Le nom de cet auteur ne se rencontre pas dans les écrits de Baudelaire, mais sa réputation avait été grande quelques années plus tôt, et il est peu probable que son œuvre ait échappé au collaborateur occasionnel de *l'Artiste.* Jacques Crépet pensait même que Baudelaire avait peut-être abandonné deux des titres prévus pour son propre recueil, *le Promeneur solitaire* et *le Rôdeur parisien,* à cause de leur ressemblance avec *le Livre du promeneur*, on peut ajouter : avec *le Visiteur nocturne*, l'une des proses qu'il contient.

A ce propos, précisons que, si *le Spleen de Paris* est le titre le plus populaire de ce recueil, ce n'est pas sans raisons sérieuses que nous avons préféré lui restituer celui de *Petits Poèmes en prose* sous lequel il a paru dans l'édition posthume des *Œuvres complètes*, préparée par Asselineau et Banville. Il est exact que dans la correspondance de 1865 et 1866 *le Spleen de Paris* revient plus souvent, mais dans les publications fragmentaires ce titre n'apparaît que deux fois contre six *Poèmes en prose* (2) et *Petits Poèmes en prose* (4), auxquels il faut ajouter la première série de *Poèmes nocturnes* en 1857 et la dernière de *Petits Poèmes lycanthropes* en 1866. De plus, il est évident que le contenu ne justifie pas la formule du *Spleen de Paris*, la capitale, en tant que telle, n'y occupant qu'une place très restreinte. Enfin l'argument final de Jacques Crépet nous paraît sans réplique : la table des matières autographe, qui date de « la toute dernière période de la vie de l'auteur », porte pour titre *Petits Poèmes en prose*.

L'intérêt littéraire du *Livre du promeneur* n'est pas comparable avec celui de *Gaspard de la Nuit*, mais les thèmes traités par Le Fevre sont beaucoup plus proches de ceux de Baudelaire. Le même Crépet n'a pas manqué de signaler que certains titres se retrouvent dans les deux ouvrages : *le Miroir*, *le Port*, *les Horloges* (*l'Horloge* chez Baudelaire).

Le projet d'un volume entier de poèmes en prose n'apparaît qu'en 1857, dans une lettre à Poulet-Malassis du 25 avril, sous le titre de *Poèmes nocturnes* et c'est sous ce titre aussi que paraîtront les six premiers dans *le Présent* du 24 août. Il est cependant certain que pour Baudelaire l'idée et même la pratique du poème en prose remontent beaucoup plus loin. La première trace en apparaît dans *la Fanfarlo*. Cette nouvelle fut publiée en 1847, mais on a quelques raisons de penser qu'elle avait été écrite, ou tout au moins commencée, vers 1843-1844. On peut y lire ce qui suit :

« Au lieu d'admirer les fleurs, Samuel Cramer, à qui la phrase et la période étaient venues, commença à mettre en prose et à déclamer quelques mauvaises stances composées dans sa première manière. »

Il y a là des indications précises et précieuses. La plus importante est l'antériorité des vers. La prose n'est donc pas une première esquisse jetée sur le papier avant l'élaboration définitive du poème, mais tout au contraire une nouvelle mouture du même thème. De plus, il ne s'agit pas d'une simple utilisation, à des fins pratiques. Le passage d'une forme à l'autre s'opère sous l'effet de l'inspiration : « Samuel Cramer, à qui la phrase et la période étaient venues... » Enfin nous avons la preuve que cette allusion n'est pas une figure de style. On a retrouvé quatre vers du poème de jeunesse que Baudelaire désigne dédaigneusement sous le nom de « mauvaises stances composées dans sa première manière » :

Il aimait à la voir, avec ses jupes blanches,
Courir tout au travers du feuillage et des branches,
Gauche et pleine de grâce, alors qu'elle cachait
La jambe, si la robe aux buissons s'accrochait...

Voici maintenant le passage correspondant de *la Fanfarlo* : « C'est l'heure où les jardins sont pleins de robes roses et blanches qui ne craignent pas de se mouiller. Les buissons complaisants accrochent les jupes fuyantes, les cheveux bruns et les boucles blondes se mêlent en tourbillonnant! »

Il est probable que la page entière de *la Fanfarlo* recouvrait le poème dont il ne nous reste plus qu'un fragment. Ces quelques lignes suffisent à nous montrer que Baudelaire ne se contente pas de « mettre en prose », mais, avec des moyens différents, réalise une création nouvelle sur le même thème. Chose curieuse, il a fait un peu plus loin une opération similaire sans la signaler. Le paragraphe qui commence par « Le temps était noir comme la tombe » est, dans sa première partie, la reprise d'un poème paru sous la signature de Prarond dans le recueil *Vers*, de 1843,

auquel Baudelaire avait offert, puis retiré sa collaboration. Il suffit d'en citer deux vers et les lignes
correspondantes pour qu'on ne puisse s'y tromper :

> *Le ruisseau, lit funèbre où s'en vont les dégoûts,*
> *Charrie en bouillonnant les secrets des égouts...*

« Le ruisseau, lit funèbre où s'en vont les billets
doux et les orgies de la veille, charriait en bouillon-
nant ses mille secrets aux égouts... »

Que Baudelaire fût ou non l'auteur véritable de ces
vers ainsi que certains l'ont suggéré, le fait intéressant
reste la tentation qui le saisit, dès ses premières années
d'écrivain, de transposer la même mélodie sur un
instrument différent. Un autre point digne de remarque
est l'intégration totale de ces morceaux poétiques dans
un contexte de prose narrative. Le ton change et
devient lyrique, mais il n'y a pas de coupure. Cela
signifie apparemment que pour Baudelaire la poésie
peut s'exprimer par le moyen de la prose sans avoir
recours à aucun artifice ou procédé particulier, sans
signe extérieur. Nous en avons la confirmation quelques
années plus tard avec *la Morale du Joujou*, publiée
en 1853. Dans ce curieux essai Baudelaire a inséré
une petite anecdote dont il prétend avoir été le spectateur. Il lui a suffi de quelques menus changements
et de deux additions en tête et en brève conclusion
pour la transformer en un poème en prose, paru en
1862 sous le titre : *le Joujou du pauvre*.

Nouvelle preuve que, pour Baudelaire, le poème,
et l'œuvre d'art en général, ne se définit pas par une
certaine forme, mais par l'effet produit : « Il m'arrivera
souvent d'apprécier un tableau uniquement par la
somme d'idées ou de rêveries qu'il apportera dans
mon esprit. » Ce qu'il dit là du tableau, il le pense
aussi du poème. Aussi devait-il presque fatalement
se tourner un jour ou l'autre, et en quelque sorte
officiellement, vers le poème en prose proprement dit.

Il semble pourtant qu'il ne s'y aventure qu'avec
timidité. La fameuse lettre à Fernand Desnoyers,
qui « coiffe » son envoi au recueil *Fontainebleau*,

publié en 1855, annonce « deux morceaux poétiques, qui représentent à peu près la somme des rêveries dont je suis assailli aux heures crépusculaires ». On remarquera au passage l'identité des termes appliqués ici au poème avec ceux que nous citions au paragraphe précédent, et qui sont de la même année, écrits à propos de l'Exposition universelle de 1855. Ce qui est singulier, c'est que les « deux morceaux poétiques », à savoir *le Soir* et *le Matin* (devenus plus tard *le Crépuscule du soir* et *le Crépuscule du matin*) sont suivis de deux poèmes en prose non annoncés — et cela sans aucune explication : *le Crépuscule du soir* et *la Solitude*.

Plutôt que de timidité, c'est peut-être d'appréhension qu'il faudrait parler. Tout se présente comme si Baudelaire, attiré par cette forme nouvelle, ne savait pas encore très bien ce qu'il devait en faire. Dans leur première version *le Crépuscule du soir* et *la Solitude* constituent un seul poème en deux parties, montrant les effets différents du crépuscule sur deux amis de l'auteur. Le sujet est donc apparemment lié à celui du premier poème en vers, mais le même point de départ (« la tombée de la nuit ») conduit à deux méditations ou rêveries très différentes. Il est visible que Baudelaire se livre là à une sorte d'expérience : il cherche quelles variations l'artiste doit tirer du même thème, selon qu'il le traite au moyen du vers ou de la prose.

Lorsque, douze ans plus tard, il publie ses six *Poèmes nocturnes*, qui comprennent les deux précédents, presque sans changements, trois des quatre autres portent des titres qui sont aussi ceux de poèmes en vers — quoique dans le cas de *l'Horloge* la similitude s'arrête au titre, les deux textes n'ayant aucun rapport l'un avec l'autre.

Les neuf pièces qui paraissent ensuite, sous le titre de *Poèmes en prose*, dans la *Revue fantaisiste* du 1er novembre 1861, comprennent les six précédents, et des trois nouveaux, l'un, *les Veuves*, traite le sujet des *Petites Vieilles*, poème en vers publié en 1859.

Après cela on ne rencontre plus que trois poèmes

en prose, dans les publications de 1862 et de 1863, dont les sujets se retrouvent, plus ou moins approximativement, dans des poèmes en vers. Encore faut-il observer que *les Bienfaits de la lune* (sans titre en 1863) n'ont avec *Tristesses de la lune* rien autre en commun que le personnage, si l'on peut dire, de la lune, comme celui de Dorothée pour *la Belle Dorothée* et *Bien loin d'ici.*

L'abandon rapide de la double épreuve, en vers et en prose, du même thème souligne le caractère expérimental des premiers essais. D'autre part, malgré l'extrême discrétion de Baudelaire sur la chronologie de composition de ses œuvres, il y a de fortes présomptions en faveur de l'antériorité des vers, dans plusieurs cas au moins, sinon dans tous.

Il n'est pas inutile de rappeler ces faits. Ils réduisent à néant les insinuations suivant lesquelles Baudelaire aurait utilisé, sous le nom de poèmes en prose, des canevas dont sa paresse ou l'impuissance de son inspiration l'auraient empêché de tirer les poésies en vers qui étaient leur fin naturelle. Les *Petits Poèmes en prose* représentent au contraire une entreprise originale dans laquelle Baudelaire ne s'est hasardé qu'avec précaution, et non sans quelques tâtonnements. Il a eu parfaitement conscience de créer un instrument nouveau et il le proclame à sa manière, avec ce mélange de modestie et d'orgueil qui lui est propre, dans la lettre à Arsène Houssaye qui précède les vingt poèmes de 1862 : « Sitôt que j'eus commencé le travail, je m'aperçus que non seulement je restais bien loin de mon mystérieux et brillant modèle, mais encore que je faisais quelque chose (si cela peut s'appeler *quelque chose*) de singulièrement différent, accident dont tout autre que moi s'enorgueillirait sans doute, mais qui ne peut qu'humilier profondément un esprit qui regarde comme le plus grand honneur du poète d'accomplir *juste* ce qu'il a projeté de faire. »

Aloysius Bertrand est certes le premier qui ait tenté de créer l'instrument. Ses prédécesseurs avaient seulement usé de la prose oratoire, en cultivant le nombre et l'harmonie de la phrase. Il veut écrire, lui, de véritables poèmes, trouver un équivalent de la versification. Il conserve la division en strophes, et remplace les contraintes du rythme et de la rime par la ciselure du style, par un jeu de sonorités — tout cela fort réussi dans son genre et donnant une œuvre qui ressemble à une collection de joyaux.

Sans nier la part de personnalité qui s'exprime indirectement à travers cet univers fantastique et ces personnages costumés sortis de la comédie italienne, avouons que la voix de l'auteur ne nous parvient que de loin. La musique est gracieuse et séduisante, mais nous sommes au spectacle et nous fermons le livre comme on sort du théâtre, pour nous retrouver « dans les plis sinueux des vieilles capitales », dans le monde des hommes de notre temps.

« L'héroïsme de la vie moderne » a été, dès les *Salons* de 1845 et de 1846, le thème que Baudelaire propose aux artistes et le seul qui ait exercé son inspiration. Aussi pouvait-on prévoir que son admiration pour *Gaspard de la Nuit* ne l'entraînerait pas dans la même direction.

Dans ses deux tentatives de 1855 il ne rejette pas complètement la technique d'Aloysius Bertrand. Ses poèmes sont divisés en strophes et, quoique la cadence y soit beaucoup plus souple que chez son prédécesseur, il est visible qu'elle y est encore recherchée. Très rapidement il renonce à cet artifice (il modifiera même la présentation et le texte des deux premiers), adopte la prose pure et simple, comme l'avait fait avant lui Jules Le Fevre — à se demander s'il n'a pas désigné Aloysius Bertrand pour détourner l'attention d'un modèle dont il est beaucoup plus proche! Il est vrai qu'il semble bien être *parti* du premier et n'a rejoint le second que par une espèce de coïncidence, sans rien lui devoir. Et puis, il faut bien le reconnaître, si l'apparence extérieure est à peu près la même, aucun autre rapprochement n'est possible.

Les sujets traités par Baudelaire sont extrêmement variés. Il y a des récits, certains visiblement inspirés d'Edgar Poe comme *Une mort héroïque*, d'autres qui semblent puisés dans la vie de tous les jours, il y a des dialogues, des méditations, des fantaisies, des rêveries — et surtout et dans tous les cas une source jaillissante de rêveries. Il faut en revenir là. C'est l'alpha et l'oméga de son art poétique et il le rappelle une fois de plus dans sa préface : « ... le miracle d'une prose poétique, musicale sans rythme et sans rime, assez souple et assez heurtée pour s'adapter aux mouvements lyriques de l'âme, aux ondulations de la rêverie, aux soubresauts de la conscience ».

Pourquoi ce recours à la prose ? Là encore il suffit, pour le comprendre, de prêter attention à la préface. Baudelaire, en y expliquant les caractères de son œuvre, la distingue implicitement des *Fleurs du mal* pour lesquelles il revendique des mérites différents et, sur certains points, opposés. De celles-ci, il écrit à Vigny, à la fin de 1861 : « Le seul éloge que je sollicite pour ce livre est qu'on reconnaisse qu'il n'est pas un pur album et qu'il a un commencement et une fin. » Quelques mois plus tard la lettre-préface à Arsène Houssaye insiste au contraire sur la nature *serpentine* de son « petit ouvrage » : « Enlevez une vertèbre, et les deux morceaux de cette tortueuse fantaisie se rejoindront sans peine. Hachez-la en nombreux fragments, et vous verrez que chacun peut exister à part. » L'unité, à laquelle Baudelaire attache tant de prix, est préservée dans ce recueil, mais c'est celle d'un organisme invertébré, c'est une unité interne, unité d'inspiration, qui ne suppose pas un enchaînement logique ou dialectique.

Cette souplesse de la composition rejoint celle du style dont nous avons vu plus haut la définition qu'en donne l'auteur. Quoique l'objet final des deux livres reste à peu près le même, leur action s'exerce de façons différentes. Tandis qu'avec *les Fleurs du mal* nous nous trouvons à l'intérieur d'une construction, d'un temple où nous sommes soumis à une incantation, les poèmes en prose s'insinuent en nous, nous pénètrent comme une voix familière, et, par un prestige plus subtil encore que celui des vers, s'emparent d'un lecteur désarmé. Entre lui et le poète, plus d'intermédiaire. Ce que Laforgue dit de lui : « *Le premier,*

il se raconta sur un mode modéré de confessionnal »,
est encore plus vrai des poèmes en prose. Il y livre
sa confidence directement. Que l'on compare *l'Examen
de minuit* avec *A une heure du matin*, on verra la différence. D'un côté, une transposition du thème, une
élaboration ; de l'autre, l'apparence d'un épanchement,
d'une confession immédiate.

Il faut dire *l'apparence*, car il est bien certain qu'en
réalité nous sommes aussi en présence d'une œuvre
d'art. Mais l'objet de l'art est ici de s'effacer aussi
complètement que possible. Bien plus, alors que dans
la poésie en vers il nous fait parvenir la voix de
l'auteur à travers un instrument qui l'amplifie, mais
aussi la modifie, l'art du poème en prose, tel que Baudelaire le comprend, a pour effet de supprimer les
obstacles qui, dans le langage direct, arrêtent les
aveux les plus intimes. Si bien qu'aucun écrit de
Baudelaire, pas même sa correspondance, ne dénude
aussi complètement sa personnalité profonde. C'est là
que nous trouvons, par exemple à la fin de *A une
heure du matin* et de *Mademoiselle Bistouri*, les cris
les plus déchirants qu'il ait arrachés de son cœur.
Même dans l'ordre de la poétique il ne s'est jamais
exprimé en termes aussi directs que dans le « *Confiteor* »
de l'artiste.

Quelle apparaît cette personnalité profonde ? C'est
celle que la plupart du temps il dérobe avec tant de
soin sous un masque de cynisme et d'excentricité.
Ce « cœur tendre » impersonnel d'*Harmonie du soir*,
il ne nous cache plus ici que c'est le sien, plein de com-
passion pour tous les déshérités, non seulement les
pauvres que, dans une parabole audacieuse, il conseille
d'assommer pour leur rendre leur dignité bafouée par
le paternalisme de l'aumône, mais les enfants, les
vieilles femmes désespérées de faire peur aux innocents de qui elles ont soif d'être aimées, le « vieux
poète sans amis, sans famille, sans enfants, dégradé
par sa misère et par l'ingratitude publique », l'homme
arraché de son rêve par la hideuse réalité *(La Chambre
double)*, et même les fous, les « monstres innocents »
en faveur de qui il implore la pitié de « Celui-là seul

qui sait pourquoi ils existent, comment ils *se sont faits* et comment ils auraient pu *ne pas se faire* ».

Les Fleurs du mal n'en restent pas moins l'œuvre maîtresse de Baudelaire et leur auteur n'a jamais pensé les surpasser par ses poèmes en prose. Ceux-ci sont sans doute d'intérêt inégal. Mais dans la plupart de leurs pages, ils présentent un emploi nouveau de la prose, d'une prose dont la puissance poétique tient à la tension extrême qui établit la communication entre la rêverie du poète et celle du lecteur. Les textes les plus courts sont à cet égard les plus frappants, et celui que Baudelaire a placé en tête, *l'Etranger*, reste en son genre un chef-d'œuvre inégalé.

Une création aussi originale devait nécessairement engendrer une nombreuse descendance. Il ne saurait être question ici d'aborder ce sujet, mais il faut souligner avec force, car le fait n'est pas toujours reconnu, que cette réussite éclatante de Baudelaire a puissamment contribué, parallèlement aux *Fleurs du mal*, au développement du symbolisme et de la poésie moderne.

Marcel A. RUFF.

BIBLIOGRAPHIE

I. — Editions critiques et annotées des *Petits Poèmes en prose* :

— éd. Conard, 1926 (et réimpressions) in-8°. Texte établi et commenté par Jacques Crépet.
— éd. Fernand Roches, coll. « Les Textes français » (sous les auspices de l'Association Guillaume Budé), 1934, in-12. Texte établi et présenté par Daniel-Rops.
— Club du Meilleur Livre, coll. « Le Nombre d'or », 1955, in-8°, t. I. Préface de Pierre Jean Jouve.

II. — A consulter :

a) sur les *Petits Poèmes en prose* de Baudelaire :

— Blin (G.) — *Introduction aux « Petits Poèmes en prose »*, revue *Fontaine*, févr. 1946, reproduit dans le *Sadisme de Baudelaire*, José Corti, éd., 1948, in-12.
— Bornecque (J.-H.) — *Les Poèmes en prose de Baudelaire*, dans *l'Information littéraire*, nov.-déc. 1953.
— Ruff (Marcel A.) — *Baudelaire*, Hatier, éd., coll. « Connaissance des Lettres », 1955, in-16 (nouvelle éd. mise à jour, 1966), ch. 13.
— Starkie (Enid) — *Baudelaire*, Londres, Faber and Faber, 1957, in-8°, pp. 454-459.

b) sur le poème en prose :

— D'Harcourt (Bernard) — *Maurice de Guérin et le poème en prose*, Soc. d'éd. « Les Belles Lettres », 1932, in-12.

— Durry (M.-J.) — *Autour du poème en prose*, dans *Mercure de France*, 1er févr. 1937.

— Bernard (Suzanne) — *Le Poème en prose de Baudelaire jusqu'à nos jours*, Nizet, éd., 1959, in-8° (thèse de doctorat).

— Parent (Monique) — *Saint-John Perse et quelques devanciers, études sur le poème en prose*, Klincksieck, éd., 1960, in-8°.

(Travail de linguistique non consacré à Baudelaire.)

PETITS POÈMES EN PROSE

A ARSÈNE HOUSSAYE

Mon cher ami, je vous envoie un petit ouvrage
dont on ne pourrait pas dire, sans injustice, qu'il n'a
ni queue ni tête, puisque tout, au contraire, y est à la
fois tête et queue, alternativement et réciproquement.
Considérez, je vous prie, quelles admirables commodités cette combinaison nous offre à tous, à vous, à
moi et au lecteur. Nous pouvons couper où nous
voulons, moi ma rêverie, vous le manuscrit, le lecteur sa lecture; car je ne suspends pas la volonté
rétive de celui-ci au fil interminable d'une intrigue
superfine. Enlevez une vertèbre, et les deux morceaux
de cette tortueuse fantaisie se rejoindront sans peine.
Hachez-la en nombreux fragments, et vous verrez que
chacun peut exister à part. Dans l'espérance que
quelques-uns de ces tronçons seront assez vivants
pour vous plaire et vous amuser, j'ose vous dédier le
serpent tout entier.

J'ai une petite confession à vous faire. C'est en
feuilletant, pour la vingtième fois au moins, le fameux
Gaspard de la Nuit, d'Aloysius Bertrand (un livre
connu de vous, de moi et de quelques-uns de nos
amis, n'a-t-il pas tous les droits à être appelé *fameux ?*)
que l'idée m'est venue de tenter quelque chose d'analogue, et d'appliquer à la description de la vie moderne,
ou plutôt d'*une* vie moderne et plus abstraite, le procédé qu'il avait appliqué à la peinture de la vie
ancienne, si étrangement pittoresque.

Quel est celui de nous qui n'a pas, dans ses jours
d'ambition, rêvé le miracle d'une prose poétique, musi-

cale, sans rythme et sans rime, assez souple et assez
heurtée pour s'adapter aux mouvements lyriques de
l'âme, aux ondulations de la rêverie, aux soubresauts de la conscience ?

C'est surtout de la fréquentation des villes énormes,
c'est du croisement de leurs innombrables rapports
que naît cet idéal obsédant. Vous-même, mon cher
ami, n'avez-vous pas tenté de traduire en une *chanson*
le cri strident du *Vitrier*, et d'exprimer dans une prose
lyrique toutes les désolantes suggestions que ce cri
envoie jusqu'aux mansardes, à travers les plus hautes
brumes de la rue ?

Mais, pour dire le vrai, je crains que ma jalousie ne
m'ait pas porté bonheur. Sitôt que j'eus commencé
le travail, je m'aperçus que non seulement je restais
bien loin de mon mystérieux et brillant modèle, mais
encore que je faisais quelque chose (si cela peut s'appeler *quelque chose*) de singulièrement différent, accident
dont tout autre que moi s'enorgueillirait sans doute,
mais qui ne peut qu'humilier profondément un esprit
qui regarde comme le plus grand honneur du poète
d'accomplir *juste* ce qu'il a projeté de faire.

                                    Votre bien affectionné,

                                    C. B.

I

L'ÉTRANGER

— Qui aimes-tu le mieux, homme énigmatique, dis ? ton père, ta mère, ta sœur ou ton frère ?

— Je n'ai ni père, ni mère, ni sœur, ni frère.

— Tes amis ?

— Vous vous servez là d'une parole dont le sens m'est resté jusqu'à ce jour inconnu.

— Ta patrie ?

— J'ignore sous quelle latitude elle est située.

— La beauté ?

— Je l'aimerais volontiers, déesse et immortelle.

— L'or ?

— Je le hais comme vous haïssez Dieu.

— Eh ! qu'aimes-tu donc, extraordinaire étranger ?

— J'aime les nuages... les nuages qui passent... là-bas... les merveilleux nuages !

II

La petite vieille ratatinée se sentit toute réjouie en voyant ce joli enfant à qui chacun faisait fête, à qui tout le monde voulait plaire; ce joli être, si fragile comme elle, la petite vieille, et, comme elle aussi, sans dents et sans cheveux.

Et elle s'approcha de lui, voulant lui faire des risettes et des mines agréables.

Mais l'enfant épouvanté se débattait sous les caresses de la bonne femme décrépite, et remplissait la maison de ses glapissements.

Alors la bonne vieille se retira dans sa solitude éternelle, et elle pleurait dans un coin, se disant : — « Ah! pour nous, malheureuses vieilles femelles, l'âge est passé de plaire, même aux innocents; et nous faisons horreur aux petits enfants que nous voulons aimer! »

36

III

LE « CONFITEOR » DE L'ARTISTE

Que les fins de journées d'automne sont pénétrantes! Ah! pénétrantes jusqu'à la douleur! car il est de certaines sensations délicieuses dont le vague n'exclut pas l'intensité; et il n'est pas de pointe plus acérée que celle de l'Infini.

Grand délice que celui de noyer son regard dans l'immensité du ciel et de la mer! Solitude, silence, incomparable chasteté de l'azur! une petite voile frissonnante à l'horizon, et qui par sa petitesse et son isolement imite mon irrémédiable existence, mélodie monotone de la houle, toutes ces choses pensent par moi, ou je pense par elles (car dans la grandeur de la rêverie, le *moi* se perd vite!); elles pensent, dis-je, mais musicalement et pittoresquement, sans arguties, sans syllogismes, sans déductions.

Toutefois, ces pensées, qu'elles sortent de moi ou s'élancent des choses, deviennent bientôt trop intenses. L'énergie dans la volupté crée un malaise et une souffrance positive. Mes nerfs trop tendus ne donnent plus que des vibrations criardes et douloureuses.

Et maintenant la profondeur du ciel me consterne; sa limpidité m'exaspère. L'insensibilité de la mer, l'immuabilité du spectacle, me révoltent... Ah! faut-il éternellement souffrir, ou fuir éternellement le beau? Nature, enchanteresse sans pitié, rivale toujours victorieuse, laisse-moi! Cesse de tenter mes désirs et mon orgueil! L'étude du beau est un duel où l'artiste crie de frayeur avant d'être vaincu.

IV

C'était l'explosion du nouvel an : chaos de boue et
de neige, traversé de mille carrosses, étincelant de
joujoux et de bonbons, grouillant de cupidités et de
désespoirs, délire officiel d'une grande ville fait pour
troubler le cerveau du solitaire le plus fort.

Au milieu de ce tohu-bohu et de ce vacarme, un
âne trottait vivement, harcelé par un malotru armé
d'un fouet.

Comme l'âne allait tourner l'angle d'un trottoir,
un beau monsieur ganté, verni, cruellement cravaté
et emprisonné dans des habits tout neufs, s'inclina
cérémonieusement devant l'humble bête, et lui dit,
en ôtant son chapeau : « Je vous la souhaite bonne et
heureuse! » puis se retourna vers je ne sais quels
camarades avec un air de fatuité, comme pour les
prier d'ajouter leur approbation à son contentement.

L'âne ne vit pas ce beau plaisant, et continua de
courir avec zèle où l'appelait son devoir.

Pour moi, je fus pris subitement d'une incommen-
surable rage contre ce magnifique imbécile, qui me
parut concentrer en lui tout l'esprit de la France.

V

LA CHAMBRE DOUBLE

Une chambre qui ressemble à une rêverie, une chambre véritablement *spirituelle*, où l'atmosphère stagnante est légèrement teintée de rose et de bleu.

L'âme y prend un bain de paresse, aromatisé par le regret et le désir. — C'est quelque chose de crépusculaire, de bleuâtre et de rosâtre; un rêve de volupté pendant une éclipse.

Les meubles ont des formes allongées, prostrées, alanguies. Les meubles ont l'air de rêver; on les dirait doués d'une vie somnambulique, comme le végétal et le minéral. Les étoffes parlent une langue muette, comme les fleurs, comme les ciels, comme les soleils couchants.

Sur les murs nulle abomination artistique. Relativement au rêve pur, à l'impression non analysée, l'art défini, l'art positif est un blasphème. Ici, tout a la suffisante clarté et la délicieuse obscurité de l'harmonie.

Une senteur infinitésimale du choix le plus exquis, à laquelle se mêle une très légère humidité, nage dans cette atmosphère, où l'esprit sommeillant est bercé par des sensations de serre chaude.

La mousseline pleut abondamment devant les fenêtres et devant le lit; elle s'épanche en cascades neigeuses. Sur ce lit est couchée l'Idole, la souveraine des rêves. Mais comment est-elle ici ? Qui l'a amenée ? quel pouvoir magique l'a installée sur ce trône de rêverie et de volupté ? Qu'importe ? la voilà! je la reconnais.

Voilà bien ces yeux dont la flamme traverse le crépuscule; ces subtiles et terribles *mirettes*, que je reconnais à leur effrayante malice! Elles attirent, elles subjuguent, elles dévorent le regard de l'imprudent qui les contemple. Je les ai souvent étudiées, ces étoiles noires qui commandent la curiosité et l'admiration.

A quel démon bienveillant dois-je d'être ainsi entouré de mystère, de silence, de paix et de parfums? O béatitude! ce que nous nommons généralement la vie, même dans son expansion la plus heureuse, n'a rien de commun avec cette vie suprême dont j'ai maintenant connaissance et que je savoure minute par minute, seconde par seconde!

Non! il n'est plus de minutes, il n'est plus de secondes! Le temps a disparu; c'est l'Eternité qui règne, une éternité de délices!

Mais un coup terrible, lourd, a retenti à la porte, et, comme dans les rêves infernaux, il m'a semblé que je recevais un coup de pioche dans l'estomac.

Et puis un Spectre est entré. C'est un huissier qui vient me torturer au nom de la loi; une infâme concubine qui vient crier misère et ajouter les trivialités de sa vie aux douleurs de la mienne; ou bien le saute-ruisseau d'un directeur de journal qui réclame la suite du manuscrit.

La chambre paradisiaque, l'idole, la souveraine des rêves, la *Sylphide*, comme disait le grand René, toute cette magie a disparu au coup brutal frappé par le Spectre.

Horreur! je me souviens! je me souviens! Oui! ce taudis, ce séjour de l'éternel ennui, est bien le mien. Voici les meubles sots, poudreux, écornés; la cheminée sans flamme et sans braise, souillée de crachats; les tristes fenêtres où la pluie a tracé des sillons dans la poussière; les manuscrits, raturés ou incomplets; l'almanach où le crayon a marqué les dates sinistres!

Et ce parfum d'un autre monde, dont je m'enivrais avec une sensibilité perfectionnée, hélas! il est remplacé par une fétide odeur de tabac mêlée à je ne sais quelle nauséabonde moisissure. On respire ici maintenant le ranci de la désolation.

Dans ce monde étroit, mais si plein de dégoût, un

seul objet connu me sourit : la fiole de laudanum; une
vieille et terrible amie; comme toutes les amies, hélas!
féconde en caresses et en traîtrises.

Oh! oui! le Temps a reparu; le Temps règne en souverain maintenant; et avec le hideux vieillard est
revenu tout son démoniaque cortège de Souvenirs,
de Regrets, de Spasmes, de Peurs, d'Angoisses, de
Cauchemars, de Colères et de Névroses.

Je vous assure que les secondes maintenant sont
fortement et solennellement accentuées, et chacune,
en jaillissant de la pendule, dit : — « Je suis la Vie,
l'insupportable, l'implacable Vie! »

Il n'y a qu'une Seconde dans la vie humaine qui
ait mission d'annoncer une bonne nouvelle, la *bonne
nouvelle* qui cause à chacun une inexplicable peur.

Oui! le Temps règne; il a repris sa brutale dictature.
Et il me pousse, comme si j'étais un bœuf, avec son
double aiguillon. — « Et hue donc! bourrique! Sue
donc, esclave! Vis donc, damné! »

VI

CHACUN SA CHIMÈRE

Sous un grand ciel gris, dans une grande plaine poudreuse, sans chemins, sans gazon, sans un chardon, sans une ortie, je rencontrai plusieurs hommes qui marchaient courbés.

Chacun d'eux portait sur son dos une énorme Chimère, aussi lourde qu'un sac de farine ou de charbon, ou le fourniment d'un fantassin romain.

Mais la monstrueuse bête n'était pas un poids inerte ; au contraire, elle enveloppait et opprimait l'homme de ses muscles élastiques et puissants ; elle s'agrafait avec ses deux vastes griffes à la poitrine de sa monture ; et sa tête fabuleuse surmontait le front de l'homme, comme un de ces casques horribles par lesquels les anciens guerriers espéraient ajouter à la terreur de l'ennemi.

Je questionnai l'un de ces hommes, et je lui demandai où ils allaient ainsi. Il me répondit qu'il n'en savait rien, ni lui, ni les autres ; mais qu'évidemment ils allaient quelque part, puisqu'ils étaient poussés par un invincible besoin de marcher.

Chose curieuse à noter : aucun de ces voyageurs n'avait l'air irrité contre la bête féroce suspendue à son cou et collée à son dos ; on eût dit qu'il la considérait comme faisant partie de lui-même. Tous ces visages fatigués et sérieux ne témoignaient d'aucun désespoir ; sous la coupole spleenétique du ciel, les pieds plongés dans la poussière d'un sol aussi désolé que ce ciel, ils cheminaient avec la physionomie résignée de ceux qui sont condamnés à espérer toujours.

Et le cortège passa à côté de moi et s'enfonça dans l'atmosphère de l'horizon, à l'endroit où la surface arrondie de la planète se dérobe à la curiosité du regard humain.

Et pendant quelques instants je m'obstinai à vouloir comprendre ce mystère; mais bientôt l'irrésistible Indifférence s'abattit sur moi, et j'en fus plus lourdement accablé qu'ils ne l'étaient eux-mêmes par leurs écrasantes Chimères.

VII

LE FOU ET LA VÉNUS

Quelle admirable journée! Le vaste parc se pâme sous l'œil brûlant du soleil, comme la jeunesse sous la domination de l'Amour.

L'extase universelle des choses ne s'exprime par aucun bruit; les eaux elles-mêmes sont comme endormies. Bien différente des fêtes humaines, c'est ici une orgie silencieuse.

On dirait qu'une lumière toujours croissante fait de plus en plus étinceler les objets; que les fleurs excitées brûlent du désir de rivaliser avec l'azur du ciel par l'énergie de leurs couleurs, et que la chaleur, rendant visibles les parfums, les fait monter vers l'astre comme des fumées.

Cependant, dans cette jouissance universelle, j'ai aperçu un être affligé.

Aux pieds d'une colossale Vénus, un de ces fous artificiels, un de ces bouffons volontaires chargés de faire rire les rois quand le Remords ou l'Ennui les obsède, affublé d'un costume éclatant et ridicule, coiffé de cornes et de sonnettes, tout ramassé contre le piédestal, lève des yeux pleins de larmes vers l'immortelle Déesse.

Et ses yeux disent : — « Je suis le dernier et le plus solitaire des humains, privé d'amour et d'amitié, et bien inférieur en cela au plus imparfait des animaux. Cependant je suis fait, moi aussi, pour comprendre et sentir l'immortelle Beauté! Ah! Déesse! ayez pitié de ma tristesse et de mon délire! »

Mais l'implacable Vénus regarde au loin je ne sais quoi avec ses yeux de marbre.

VIII

LE CHIEN ET LE FLACON

« — Mon beau chien, mon bon chien, mon cher toutou, approchez et venez respirer un excellent parfum acheté chez le meilleur parfumeur de la ville. »

Et le chien, en frétillant de la queue, ce qui est, je crois, chez ces pauvres êtres, le signe correspondant du rire et du sourire, s'approche et pose curieusement son nez humide sur le flacon débouché; puis, reculant soudainement avec effroi, il aboie contre moi en manière de reproche.

« — Ah! misérable chien, si je vous avais offert un paquet d'excréments, vous l'auriez flairé avec délices et peut-être dévoré. Ainsi, vous-même, indigne compagnon de ma triste vie, vous ressemblez au public, à qui il ne faut jamais présenter des parfums délicats qui l'exaspèrent, mais des ordures soigneusement choisies. »

IX

LE MAUVAIS VITRIER

Il y a des natures purement contemplatives et tout à fait impropres à l'action, qui cependant, sous une impulsion mystérieuse et inconnue, agissent quelquefois avec une rapidité dont elles se seraient crues elles-mêmes incapables.

Tel qui, craignant de trouver chez son concierge une nouvelle chagrinante, rôde lâchement une heure devant sa porte sans oser rentrer, tel qui garde quinze jours une lettre sans la décacheter, ou ne se résigne qu'au bout de six mois à opérer une démarche nécessaire depuis un an, se sentent quelquefois brusquement précipités vers l'action par une force irrésistible, comme la flèche d'un arc. Le moraliste et le médecin, qui prétendent tout savoir, ne peuvent pas expliquer d'où vient si subitement une si folle énergie à ces âmes paresseuses et voluptueuses, et comment, incapables d'accomplir les choses les plus simples et les plus nécessaires, elles trouvent à une certaine minute un courage de luxe pour exécuter les actes les plus absurdes et souvent même les plus dangereux.

Un de mes amis, le plus inoffensif rêveur qui ait existé, a mis une fois le feu à une forêt pour voir, disait-il, si le feu prenait avec autant de facilité qu'on l'affirme généralement. Dix fois de suite, l'expérience manqua; mais, à la onzième, elle réussit beaucoup trop bien.

Un autre allumera un cigare à côté d'un tonneau de poudre, *pour voir*, *pour savoir*, *pour tenter la destinée*, pour se contraindre lui-même à faire preuve

d'énergie, pour faire le joueur, pour connaître les
plaisirs de l'anxiété, pour rien, par caprice, par désœu-
vrement.

C'est une espèce d'énergie qui jaillit de l'ennui et
de la rêverie ; et ceux en qui elle se manifeste si inopi-
nément sont, en général, comme je l'ai dit, les plus
indolents et les plus rêveurs des êtres.

Un autre, timide à ce point qu'il baisse les yeux
même devant les regards des hommes, à ce point qu'il
lui faut rassembler toute sa pauvre volonté pour
entrer dans un café ou passer devant le bureau d'un
théâtre, où les contrôleurs lui paraissent investis de la
majesté de Minos, d'Eaque et de Rhadamante, sau-
tera brusquement au cou d'un vieillard qui passe à
côté de lui et l'embrassera avec enthousiasme devant
la foule étonnée.

Pourquoi ? Parce que... parce que cette physionomie
lui était irrésistiblement sympathique ? Peut-être ; mais
il est plus légitime de supposer que lui-même il ne sait
pas pourquoi.

— J'ai été plus d'une fois victime de ces crises et
de ces élans, qui nous autorisent à croire que des
Démons malicieux se glissent en nous et nous font
accomplir, à notre insu, leurs plus absurdes volontés.

Un matin je m'étais levé maussade, triste, fatigué
d'oisiveté, et poussé, me semblait-il, à faire quelque
chose de grand, une action d'éclat ; et j'ouvris la
fenêtre, hélas !

(Observez, je vous prie, que l'esprit de mystification
qui, chez quelques personnes, n'est pas le résultat
d'un travail ou d'une combinaison, mais d'une inspiration fortuite, participe beaucoup, ne fût-ce que par
l'ardeur du désir, de cette humeur, hystérique selon
les médecins, satanique selon ceux qui pensent un peu
mieux que les médecins, qui nous pousse sans résistance vers une foule d'actions dangereuses ou inconve-
nantes.)

La première personne que j'aperçus dans la rue,
ce fut un vitrier dont le cri perçant, discordant, monta
jusqu'à moi à travers la lourde et sale atmosphère
parisienne. Il me serait d'ailleurs impossible de dire

pourquoi je fus pris à l'égard de ce pauvre homme d'une haine aussi soudaine que despotique.

« — Hé! hé! » et je lui criai de monter. Cependant je réfléchissais, non sans quelque gaieté, que, la chambre étant au sixième étage et l'escalier fort étroit, l'homme devait éprouver quelque peine à opérer son ascension et accrocher en maint endroit les angles de sa fragile marchandise.

Enfin il parut : j'examinai curieusement toutes ses vitres, et je lui dis : « — Comment ? vous n'avez pas de verres de couleur ? des verres roses, rouges, bleus, des vitres magiques, des vitres de paradis ? Impudent que vous êtes! vous osez vous promener dans des quartiers pauvres, et vous n'avez pas même de vitres qui fassent voir la vie en beau! » Et je le poussai vivement vers l'escalier, où il trébucha en grognant.

Je m'approchai du balcon et je me saisis d'un petit pot de fleurs, et, quand l'homme reparut au débouché de la porte, je laissai tomber perpendiculairement mon engin de guerre sur le rebord postérieur de ses crochets; et le choc le renversant, il acheva de briser sous son dos toute sa pauvre fortune ambulatoire, qui rendit le bruit éclatant d'un palais de cristal crevé par la foudre.

Et, ivre de ma folie, je lui criai furieusement : « La vie en beau! la vie en beau! »

Ces plaisanteries nerveuses ne sont pas sans péril, et on peut souvent les payer cher. Mais qu'importe l'éternité de la damnation à qui a trouvé dans une seconde l'infini de la jouissance ?

X

A UNE HEURE DU MATIN

Enfin! seul! On n'entend plus que le roulement de quelques fiacres attardés et éreintés. Pendant quelques heures, nous posséderons le silence, sinon le repos. Enfin! la tyrannie de la face humaine a disparu, et je ne souffrirai plus que par moi-même.

Enfin! il m'est donc permis de me délasser dans un bain de ténèbres! D'abord, un double tour à la serrure. Il me semble que ce tour de clef augmentera ma solitude et fortifiera les barricades qui me séparent actuellement du monde.

Horrible vie! Horrible ville! Récapitulons la journée : avoir vu plusieurs hommes de lettres, dont l'un m'a demandé si l'on pouvait aller en Russie par voie de terre (il prenait sans doute la Russie pour une île); avoir disputé généreusement contre le directeur d'une revue, qui à chaque objection répondait : « — C'est ici le parti des honnêtes gens », ce qui implique que tous les autres journaux sont rédigés par des coquins; avoir salué une vingtaine de personnes, dont quinze me sont inconnues; avoir distribué des poignées de main dans la même proportion, et cela sans avoir pris la précaution d'acheter des gants; être monté pour tuer le temps, pendant une averse, chez une sauteuse, qui m'a prié de lui dessiner un costume de *Vénustre;* avoir fait ma cour à un directeur de théâtre, qui m'a dit en me congédiant : « — Vous feriez peut-être bien de vous adresser à Z...; c'est le plus lourd, le plus sot et le plus célèbre de tous mes auteurs, avec lui vous pourriez peut-être aboutir à quelque chose. Voyez-le, et puis nous verrons »; m'être vanté (pourquoi ?) de plusieurs vilaines actions que je n'ai jamais commises, et avoir lâchement nié quelques autres méfaits que j'ai accomplis avec joie, délit de fanfaronnade, crime de respect humain; avoir refusé à un ami un service facile, et donné une recommandation écrite à un parfait drôle; ouf! est-ce bien fini ?

Mécontent de tous et mécontent de moi, je voudrais bien me racheter et m'enorgueillir un peu dans le silence et la solitude de la nuit. Ames de ceux que j'ai aimés, âmes de ceux que j'ai chantés, fortifiez-moi, soutenez-moi, éloignez de moi le mensonge et les vapeurs corruptrices du monde, et vous, Seigneur mon Dieu! accordez-moi la grâce de produire quelques beaux vers qui me prouvent à moi-même que je ne suis pas le dernier des hommes, que je ne suis pas inférieur à ceux que je méprise!

XI

LA FEMME SAUVAGE
ET LA PETITE-MAITRESSE

« Vraiment, ma chère, vous me fatiguez sans mesure et sans pitié ; on dirait, à vous entendre soupirer, que vous souffrez plus que les glaneuses sexagénaires et que les vieilles mendiantes qui ramassent des croûtes de pain à la porte des cabarets.

« Si au moins vos soupirs exprimaient le remords, ils vous feraient quelque honneur ; mais ils ne traduisent que la satiété du bien-être et l'accablement du repos. Et puis, vous ne cessez de vous répandre en paroles inutiles : « Aimez-moi bien ! j'en ai tant besoin ! Consolez-moi par-ci, caressez-moi par-là ! » Tenez, je veux essayer de vous guérir ; nous en trouverons peut-être le moyen, pour deux sols, au milieu d'une fête, et sans aller bien loin.

« Considérons bien, je vous prie, cette solide cage de fer derrière laquelle s'agite, hurlant comme un damné, secouant les barreaux comme un orang-outang exaspéré par l'exil, imitant, dans la perfection, tantôt les bonds circulaires du tigre, tantôt les dandinements stupides de l'ours blanc, ce monstre poilu dont la forme imite assez vaguement la vôtre.

« Ce monstre est un de ces animaux qu'on appelle généralement « mon ange ! » c'est-à-dire une femme. L'autre monstre, celui qui crie à tue-tête, un bâton à la main, est un mari. Il a enchaîné sa femme légitime comme une bête, et il la montre dans les faubourgs, les jours de foire, avec permission des magistrats, cela va sans dire.

« Faites bien attention ! Voyez avec quelle voracité

(non simulée peut-être!) elle déchire des lapins vivants et des volailles piaillantes que lui jette son cornac. « Allons, dit-il, il ne faut pas manger tout son bien en un jour », et, sur cette sage parole, il lui arrache cruellement la proie, dont les boyaux dévidés restent un instant accrochés aux dents de la bête féroce, de la femme, veux-je dire.

« Allons! un bon coup de bâton pour la calmer! car elle darde des yeux terribles de convoitise sur la nourriture enlevée. Grand Dieu! le bâton n'est pas un bâton de comédie, avez-vous entendu résonner la chair, malgré le poil postiche? Aussi les yeux lui sortent maintenant de la tête, elle hurle *plus naturellement*. Dans sa rage, elle étincelle tout entière, comme le fer qu'on bat.

« Telles sont les mœurs conjugales de ces deux descendants d'Eve et d'Adam, ces œuvres de vos mains, ô mon Dieu! Cette femme est incontestablement malheureuse, quoique après tout, peut-être, les jouissances titillantes de la gloire ne lui soient pas inconnues. Il y a des malheurs plus irrémédiables, et sans compensation. Mais dans le monde où elle a été jetée, elle n'a jamais pu croire que la femme méritât une autre destinée.

« Maintenant, à nous deux, chère précieuse! A voir les enfers dont le monde est peuplé, que voulez-vous que je pense de votre joli enfer, vous qui ne reposez que sur des étoffes aussi douces que votre peau, qui ne mangez que de la viande cuite, et pour qui un domestique habile prend soin de découper les morceaux?

« Et que peuvent signifier pour moi tous ces petits soupirs qui gonflent votre poitrine parfumée, robuste coquette? Et toutes ces affectations apprises dans les livres, et cette infatigable mélancolie, faite pour inspirer au spectateur un tout autre sentiment que la pitié? En vérité, il me prend quelquefois envie de vous apprendre ce que c'est que le vrai malheur.

« A vous voir ainsi, ma belle délicate, les pieds dans la fange et les yeux tournés vaporeusement vers le ciel, comme pour lui demander un roi, on dirait vraisemblablement une jeune grenouille qui invoquerait l'idéal. Si vous méprisez le soliveau (ce que je suis maintenant, comme vous savez bien), gare la grue *qui vous croquera, vous gobera et vous tuera à son plaisir !*

« Tant poète que je sois, je ne suis pas aussi dupe que vous voudriez le croire, et, si vous me fatiguez trop souvent de vos *précieuses* pleurnicheries, je vous traiterai en *femme sauvage,* ou je vous jetterai par la fenêtre, comme une bouteille vide. »

XII

LES FOULES

Il n'est pas donné à chacun de prendre un bain de multitude : jouir de la foule est un art; et celui-là seul peut faire, aux dépens du genre humain, une ribote de vitalité, à qui une fée a insufflé dans son berceau le goût du travestissement et du masque, la haine du domicile et la passion du voyage.

Multitude, solitude : termes égaux et convertibles pour le poète actif et fécond. Qui ne sait pas peupler sa solitude, ne sait pas non plus être seul dans une foule affairée.

Le poète jouit de cet incomparable privilège, qu'il peut à sa guise être lui-même et autrui. Comme ces âmes errantes qui cherchent un corps, il entre, quand il veut, dans le personnage de chacun. Pour lui seul, tout est vacant; et, si de certaines places paraissent lui être fermées, c'est qu'à ses yeux elles ne valent pas la peine d'être visitées.

Le promeneur solitaire et pensif tire une singulière ivresse de cette universelle communion. Celui-là qui épouse facilement la foule connaît des jouissances fiévreuses, dont seront éternellement privés l'égoïste, fermé comme un coffre, et le paresseux, interné comme un mollusque. Il adopte comme siennes toutes les professions, toutes les joies et toutes les misères que la circonstance lui présente.

Ce que les hommes nomment amour est bien petit, bien restreint et bien faible, comparé à cette ineffable orgie, à cette sainte prostitution de l'âme qui se donne

tout entière, poésie et charité, à l'imprévu qui se
montre, à l'inconnu qui passe.

Il est bon d'apprendre quelquefois aux heureux de
ce monde, ne fût-ce que pour humilier un instant leur
sot orgueil, qu'il est des bonheurs supérieurs au leur,
plus vastes et plus raffinés. Les fondateurs de colonies,
les pasteurs de peuples, les prêtres missionnaires exilés
au bout du monde, connaissent sans doute quelque
chose de ces mystérieuses ivresses; et, au sein de la
vaste famille que leur génie s'est faite, ils doivent
rire quelquefois de ceux qui les plaignent pour leur
fortune si agitée et pour leur vie si chaste.

XIII

LES VEUVES

Vauvenargues dit que dans les jardins publics il est des allées hantées principalement par l'ambition déçue, par les inventeurs malheureux, par les gloires avortées, par les cœurs brisés, par toutes ces âmes tumultueuses et fermées, en qui grondent encore les derniers soupirs d'un orage, et qui reculent loin du regard insolent des joyeux et des oisifs. Ces retraites ombreuses sont les rendez-vous des éclopés de la vie.

C'est surtout vers ces lieux que le poète et le philosophe aiment diriger leurs avides conjectures. Il y a là une pâture certaine. Car, s'il est une place qu'ils dédaignent de visiter, comme je l'insinuais tout à l'heure, c'est surtout la joie des riches. Cette turbulence dans le vide n'a rien qui les attire. Au contraire, ils se sentent irrésistiblement entraînés vers tout ce qui est faible, ruiné, contristé, orphelin.

Un œil expérimenté ne s'y trompe jamais. Dans ces traits rigides ou abattus, dans ces yeux caves et ternes, ou brillants des derniers éclairs de la lutte, dans ces rides profondes et nombreuses, dans ces démarches si lentes ou si saccadées, il déchiffre tout de suite les innombrables légendes de l'amour trompé, du dévouement méconnu, des efforts non récompensés, de la faim et du froid humblement, silencieusement supportés.

Avez-vous quelquefois aperçu des veuves sur ces bancs solitaires, des veuves pauvres ? Qu'elles soient en deuil ou non, il est facile de les reconnaître. D'ailleurs il y a toujours dans le deuil du pauvre quelque

chose qui manque, une absence d'harmonie qui le
rend plus navrant. Il est contraint de lésiner sur sa
douleur. Le riche porte la sienne au grand complet.

Quelle est la veuve la plus triste et la plus attristante,
celle qui traîne à sa main un bambin avec qui elle ne
peut pas partager sa rêverie, ou celle qui est tout à
fait seule ? Je ne sais... Il m'est arrivé une fois de suivre
pendant de longues heures une vieille affligée de cette
espèce ; celle-là roide, droite, sous un petit châle usé,
portait dans tout son être une fierté de stoïcienne.

Elle était évidemment condamnée, par une absolue
solitude, à des habitudes de vieux célibataire, et le
caractère masculin de ses mœurs ajoutait un piquant
mystérieux à leur austérité. Je ne sais dans quel misérable café et de quelle façon elle déjeuna. Je la suivis
au cabinet de lecture ; et je l'épiai longtemps pendant
qu'elle cherchait dans les gazettes, avec des yeux actifs,
jadis brûlés par les larmes, des nouvelles d'un intérêt
puissant et personnel.

Enfin, dans l'après-midi, sous un ciel d'automne
charmant, un de ces ciels d'où descendent en foule les
regrets et les souvenirs, elle s'assit à l'écart dans un
jardin, pour entendre, loin de la foule, un de ces
concerts dont la musique des régiments gratifie le
peuple parisien.

C'était sans doute là la petite débauche de cette
vieille innocente (ou de cette vieille purifiée), la consolation bien gagnée d'une de ces lourdes journées sans
ami, sans causerie, sans joie, sans confident, que Dieu
laissait tomber sur elle, depuis bien des ans peut-être !
trois cent soixante-cinq fois par an.

Une autre encore :

Je ne puis jamais m'empêcher de jeter un regard,
sinon universellement sympathique, au moins curieux,
sur la foule de parias qui se pressent autour de l'en-
ceinte d'un concert public. L'orchestre jette à travers
la nuit des chants de fête, de triomphe ou de volupté.
Les robes traînent en miroitant ; les regards se croisent ;
les oisifs, fatigués de n'avoir rien fait, se dandinent,
feignant de déguster indolemment la musique. Ici rien
que de riche, d'heureux ; rien qui ne respire et n'ins-

pire l'insouciance et le plaisir de se laisser vivre ; rien,
excepté l'aspect de cette tourbe qui s'appuie là-bas sur
la barrière extérieure, attrapant gratis, au gré du vent,
un lambeau de musique, et regardant l'étincelante
fournaise intérieure.

— C'est toujours chose intéressante que ce reflet de
la joie du riche au fond de l'œil du pauvre. Mais ce
jour-là, à travers ce peuple vêtu de blouses et d'indienne, j'aperçus un être dont la noblesse faisait un
éclatant contraste avec toute la trivialité environnante.

C'était une femme grande, majestueuse, et si noble
dans tout son air, que je n'ai pas souvenir d'avoir vu
sa pareille dans les collections des aristocratiques
beautés du passé. Un parfum de hautaine vertu émanait de toute sa personne. Son visage, triste et amaigri,
était en parfaite accordance avec le grand deuil dont
elle était revêtue. Elle aussi, comme la plèbe à laquelle
elle s'était mêlée et qu'elle ne voyait pas, elle regardait
le monde lumineux avec un œil profond, et elle écoutait en hochant doucement la tête.

Singulière vision ! « A coup sûr, me dis-je, cette
pauvreté-là, si pauvreté il y a, ne doit pas admettre
l'économie sordide ; un si noble visage m'en répond.
Pourquoi donc reste-t-elle volontairement dans un
milieu où elle fait une tache si éclatante ? »

Mais en passant curieusement auprès d'elle, je
crus en deviner la raison. La grande veuve tenait par
la main un enfant comme elle vêtu de noir ; si modique
que fût le prix d'entrée, ce prix suffisait peut-être pour
payer un des besoins du petit être, mieux encore,
une superfluité, un jouet.

Et elle sera rentrée à pied, méditant et rêvant, seule,
toujours seule ; car l'enfant est turbulent, égoïste, sans
douceur et sans patience ; et il ne peut même pas,
comme le pur animal, comme le chien et le chat, servir
de confident aux douleurs solitaires.

XIV

acrobat

LE VIEUX SALTIMBANQUE

Partout s'étalait, se répandait, s'ébaudissait le peuple en vacances. C'était une de ces solennités sur lesquelles, pendant un long temps, comptent les saltimbanques, les faiseurs de tours, les montreurs d'animaux et les boutiquiers ambulants, pour compenser les mauvais temps de l'année.

En ces jours-là, il me semble que le peuple oublie tout, la douleur et le travail; il devient pareil aux enfants. Pour les petits c'est un jour de congé, c'est l'horreur de l'école renvoyée à vingt-quatre heures. Pour les grands c'est un armistice conclu avec les puissances malfaisantes de la vie, un répit dans la contention et la lutte universelles.

L'homme du monde lui-même et l'homme occupé de travaux spirituels échappent difficilement à l'influence de ce jubilé populaire. Ils absorbent, sans le vouloir, leur part de cette atmosphère d'insouciance. Pour moi, je ne manque jamais, en vrai Parisien, de passer la revue de toutes les baraques qui se pavanent à ces époques solennelles.

Elles se faisaient, en vérité, une concurrence formidable : elles piaillaient, beuglaient, hurlaient. C'était un mélange de cris, de détonations de cuivre et d'explosions de fusées. Les queues-rouges et les Jocrisses convulsaient les traits de leurs visages basanés, racornis par le vent, la pluie et le soleil; ils lançaient, avec l'aplomb des comédiens sûrs de leurs effets, des bons mots et des plaisanteries d'un comique solide et lourd comme celui de Molière. Les Hercules, fiers de l'énor-

mité de leurs membres, sans front et sans crâne,
comme les orangs-outangs, se prélassaient majes-
tueusement sous les maillots lavés la veille pour la
circonstance. Les danseuses, belles comme des fées
ou des princesses, sautaient et cabriolaient sous le
feu des lanternes qui remplissaient leurs jupes d'étin-
celles.

Tout n'était que lumière, poussière, cris, joie,
tumulte; les uns dépensaient, les autres gagnaient,
les uns et les autres également joyeux. Les enfants se
suspendaient aux jupons de leurs mères pour obtenir
quelque bâton de sucre, ou montaient sur les épaules
de leurs pères pour mieux voir un escamoteur éblouissant comme un dieu. Et partout circulait, dominant
tous les parfums, une odeur de friture qui était comme
l'encens de cette fête.

Au bout, à l'extrême bout de la rangée de baraques,
comme si, honteux, il s'était exilé lui-même de toutes
ces splendeurs, je vis un pauvre saltimbanque, voûté,
caduc, décrépit, une ruine d'homme, adossé contre un
des poteaux de sa cahute; une cahute plus misérable
que celle du sauvage le plus abruti; et dont deux bouts
de chandelles, coulants et fumants, éclairaient trop
bien encore la détresse.

Partout la joie, le gain, la débauche; partout la
certitude du pain pour les lendemains; partout l'explosion frénétique de la vitalité. Ici la misère absolue, la
misère affublée, pour comble d'horreur, de haillons
comiques, où la nécessité, bien plus que l'art, avait
introduit le contraste. Il ne riait pas, le misérable!
Il ne pleurait pas, il ne dansait pas, il ne gesticulait pas,
il ne criait pas; il ne chantait aucune chanson, ni gaie
ni lamentable; il n'implorait pas. Il était muet et
immobile. Il avait renoncé, il avait abdiqué. Sa destinée était faite.

Mais quel regard profond, inoubliable, il prome-
nait sur la foule et les lumières, dont le flot mouvant
s'arrêtait à quelques pas de sa répulsive misère! Je
sentis ma gorge serrée par la main terrible de l'hys-
térie, et il me sembla que mes regards étaient offusqués
par ces larmes rebelles qui ne veulent pas tomber.

Que faire ? A quoi bon demander à l'infortu
quelle curiosité, quelle merveille il avait à montrer,
dans ces ténèbres puantes, derrière son rideau déchi-
queté ? En vérité, je n'osais; et, dût la raison de ma
timidité vous faire rire, j'avouerai que je craignais de
l'humilier. Enfin, je venais de me résoudre à déposer
en passant quelque argent sur une de ces planches,
espérant qu'il devinerait mon intention, quand un
grand reflux de peuple, causé par je ne sais quel trouble,
m'entraîna loin de lui.

Et, m'en retournant, obsédé par cette vision, je
cherchai à analyser ma soudaine douleur, et je me dis :
Je viens de voir l'image du vieil homme de lettres qui
a survécu à la génération dont il fut le brillant amu-
seur; du vieux poète sans amis, sans famille, sans
enfants, dégradé par sa misère et par l'ingratitude
publique, et dans la baraque de qui le monde oublieux
ne veut plus entrer!

XV

LE GATEAU

Je voyageais. Le paysage au milieu duquel j'étais
placé était d'une grandeur et d'une noblesse irrésis-
tibles. Il en passa sans doute en ce moment quelque
chose dans mon âme. Mes pensées voltigeaient avec une
légèreté égale à celle de l'atmosphère; les passions
vulgaires, telles que la haine et l'amour profane,
m'apparaissaient maintenant aussi éloignées que les
nuées qui défilaient au fond des abîmes sous mes pieds;
mon âme me semblait aussi vaste et aussi pure que la
coupole du ciel dont j'étais enveloppé; le souvenir
des choses terrestres n'arrivait à mon cœur qu'affaibli
et diminué, comme le son de la clochette des bestiaux
imperceptibles qui paissaient loin, bien loin, sur le
versant d'une autre montagne. Sur le petit lac immobile, noir de son immense profondeur, passait quelquefois l'ombre d'un nuage, comme le reflet du manteau d'un géant aérien volant à travers le ciel. Et je
me souviens que cette sensation solennelle et rare,
causée par un grand mouvement parfaitement silen-
cieux, me remplissait d'une joie mêlée de peur. Bref, je
me sentais, grâce à l'enthousiasmante beauté dont
j'étais environné, en parfaite paix avec moi-même et
avec l'univers; je crois même que, dans ma parfaite
béatitude et dans mon total oubli de tout le mal
terrestre, j'en étais venu à ne plus trouver si ridicules
les journaux qui prétendent que l'homme est né bon;
— quand la matière incurable renouvelant ses exi-
gences, je songeai à réparer la fatigue et à soulager
l'appétit causés par une si longue ascension. Je tirai

de ma poche un gros morceau de pain, une tasse de
cuir et un flacon d'un certain élixir que les pharma-
ciens vendaient dans ce temps-là aux touristes pour le
mêler dans l'occasion avec de l'eau de neige.

Je découpais tranquillement mon pain, quand un
bruit très léger me fit lever les yeux. Devant moi se
tenait un petit être déguenillé, noir, ébouriffé, dont
les yeux creux, farouches et comme suppliants, dévo-
raient le morceau de pain. Et je l'entendis soupirer,
d'une voix basse et rauque, le mot : *gâteau!* Je ne
pus m'empêcher de rire en entendant l'appellation
dont il voulait bien honorer mon pain presque blanc,
et j'en coupai pour lui une belle tranche que je lui
offris. Lentement il se rapprocha, ne quittant pas des
yeux l'objet de sa convoitise; puis, happant le morceau avec sa main, se recula vivement, comme s'il
eût craint que mon offre ne fût pas sincère ou que je
m'en repentisse déjà.

Mais au même instant il fut culbuté par un autre
petit sauvage, sorti je ne sais d'où, et si parfaitement
semblable au premier qu'on aurait pu le prendre pour
son frère jumeau. Ensemble ils roulèrent sur le sol,
se disputant la précieuse proie, aucun n'en voulant
sans doute sacrifier la moitié pour son frère. Le
premier, exaspéré, empoigna le second par les cheveux;
celui-ci lui saisit l'oreille avec les dents, et en cracha
un petit morceau sanglant avec un superbe juron
patois. Le légitime propriétaire du gâteau essaya d'en-
foncer ses petites griffes dans les yeux de l'usurpateur;
à son tour celui-ci appliqua toutes ses forces à étran-
gler son adversaire d'une main, pendant que de
l'autre il tâchait de glisser dans sa poche le prix du
combat. Mais, ravivé par le désespoir, le vaincu se
redressa et fit rouler le vainqueur par terre d'un coup
de tête dans l'estomac. A quoi bon décrire une lutte
hideuse qui dura en vérité plus longtemps que leurs
forces enfantines ne semblaient le promettre ? Le
gâteau voyageait de main en main et changeait de
poche à chaque instant; mais, hélas! il changeait aussi
de volume; et lorsque enfin, exténués, haletants, san-
glants, ils s'arrêtèrent par impossibilité de continuer,

il n'y avait plus, à vrai dire, aucun sujet de bataille;
le morceau de pain avait disparu, et il était éparpillé
en miettes semblables aux grains de sable auxquels
il était mêlé.

Ce spectacle m'avait embrumé le paysage, et la joie
calme où s'ébaudissait mon âme avant d'avoir vu
ces petits hommes avait totalement disparu; j'en
restai triste assez longtemps, me répétant sans cesse :
« Il y a donc un pays superbe où le pain s'appelle du
gâteau, friandise si rare qu'elle suffit pour engendrer
une guerre parfaitement fratricide! »

XVI

L'HORLOGE

Les Chinois voient l'heure dans l'œil des chats.

Un jour un missionnaire, se promenant dans la banlieue de Nankin, s'aperçut qu'il avait oublié sa montre,
et demanda à un petit garçon quelle heure il était.

Le gamin du céleste Empire hésita d'abord ; puis,
se ravisant, il répondit : « Je vais vous le dire. »
Peu d'instants après, il reparut, tenant dans ses bras
un fort gros chat, et le regardant, comme on dit, dans
le blanc des yeux, il affirma sans hésiter : « Il n'est
pas encore tout à fait midi. » Ce qui était vrai.

Pour moi, si je me penche vers la belle Féline, la
si bien nommée, qui est à la fois l'honneur de son sexe,
l'orgueil de mon cœur et le parfum de mon esprit,
que ce soit la nuit, que ce soit le jour, dans la pleine
lumière ou dans l'ombre opaque, au fond de ses yeux
adorables je vois toujours l'heure distinctement, toujours la même, une heure vaste, solennelle, grande
comme l'espace, sans divisions de minutes ni de
secondes, — une heure immobile qui n'est pas marquée sur les horloges, et cependant légère comme un
soupir, rapide comme un coup d'œil.

Et, si quelque importun venait me déranger pendant que mon regard repose sur ce délicieux cadran,
si quelque Génie malhonnête et intolérant, quelque
Démon du contretemps venait me dire : « Que
regardes-tu là avec tant de soin ? Que cherches-tu
dans les yeux de cet être ? Y vois-tu l'heure, mortel
prodigue et fainéant ? » je répondrais sans hésiter :
« Oui, je vois l'heure ; il est l'Eternité ! »

N'est-ce pas, madame, que voici un madrigal vraiment méritoire, et aussi emphatique que vous-même ? En vérité, j'ai eu tant de plaisir à broder cette prétentieuse galanterie que je ne vous demanderai rien en échange.

XVII

UN HÉMISPHÈRE DANS UNE CHEVELURE

Laisse-moi respirer longtemps, longtemps, l'odeur de tes cheveux, y plonger tout mon visage, comme un homme altéré dans l'eau d'une source, et les agiter avec ma main comme un mouchoir odorant, pour secouer des souvenirs dans l'air.

Si tu pouvais savoir tout ce que je vois! tout ce que je sens! tout ce que j'entends dans tes cheveux! Mon âme voyage sur le parfum comme l'âme des autres hommes sur la musique.

Tes cheveux contiennent tout un rêve, plein de voilures et de mâtures; ils contiennent de grandes mers dont les moussons me portent vers de charmants climats, où l'espace est plus bleu et plus profond, où l'atmosphère est parfumée par les fruits, par les feuilles et par la peau humaine.

Dans l'océan de ta chevelure, j'entrevois un port fourmillant de chants mélancoliques, d'hommes vigoureux de toutes nations et de navires de toutes formes découpant leurs architectures fines et compliquées sur un ciel immense où se prélasse l'éternelle chaleur.

Dans les caresses de ta chevelure, je retrouve les langueurs des longues heures passées sur un divan, dans la chambre d'un beau navire, bercées par le roulis imperceptible du port, entre les pots de fleurs et les gargoulettes rafraîchissantes.

Dans l'ardent foyer de ta chevelure, je respire l'odeur du tabac mêlé à l'opium et au sucre; dans la nuit de ta chevelure, je vois resplendir l'infini de l'azur tropical; sur les rivages duvetés de ta chevelure

je m'enivre des odeurs combinées du goudron, du
musc et de l'huile de coco.

Laisse-moi mordre longtemps tes tresses lourdes et
noires. Quand je mordille tes cheveux élastiques et
rebelles, il me semble que je mange des souvenirs.

XVIII

Il est un pays superbe, un pays de Cocagne, dit-on, que je rêve de visiter avec une vieille amie. Pays singulier, noyé dans les brumes de notre Nord, et qu'on pourrait appeler l'Orient de l'Occident, la Chine de l'Europe, tant la chaude et capricieuse fantaisie s'y est donné carrière, tant elle l'a patiemment et opiniâtrément illustré de ses savantes et délicates végétations.

Un vrai pays de Cocagne, où tout est beau, riche, tranquille, honnête; où le luxe a plaisir à se mirer dans l'ordre; où la vie est grasse et douce à respirer; d'où le désordre, la turbulence et l'imprévu sont exclus; où le bonheur est marié au silence; où la cuisine elle-même est poétique, grasse et excitante à la fois; où tout vous ressemble, mon cher ange.

Tu connais cette maladie fiévreuse qui s'empare de nous dans les froides misères, cette nostalgie du pays qu'on ignore, cette angoisse de la curiosité? Il est une contrée qui te ressemble, où tout est beau, riche, tranquille et honnête, où la fantaisie a bâti et décoré une Chine occidentale, où la vie est douce à respirer, où le bonheur est marié au silence. C'est là qu'il faut aller vivre, c'est là qu'il faut aller mourir!

Oui, c'est là qu'il faut aller respirer, rêver et allonger les heures par l'infini des sensations. Un musicien a écrit l'*Invitation à la valse;* quel est celui qui composera l'*Invitation au voyage*, qu'on puisse offrir à la femme aimée, à la sœur d'élection?

Oui, c'est dans cette atmosphère qu'il ferait bon

vivre, — là-bas, où les heures plus lentes contiennent plus de pensées, où les horloges sonnent le bonheur avec une plus profonde et plus significative solennité.

Sur des panneaux luisants, ou sur des cuirs dorés et d'une richesse sombre, vivent discrètement des peintures béates, calmes et profondes, comme les âmes des artistes qui les créèrent. Les soleils couchants, qui colorent si richement la salle à manger ou le salon, sont tamisés par de belles étoffes ou par ces hautes fenêtres ouvragées que le plomb divise en nombreux compartiments. Les meubles sont vastes, curieux, bizarres, armés de serrures et de secrets comme des âmes raffinées. Les miroirs, les métaux, les étoffes, l'orfèvrerie et la faïence y jouent pour les yeux une symphonie muette et mystérieuse ; et de toutes choses, de tous les coins, des fissures des tiroirs et de plis des étoffes s'échappe un parfum singulier, un *revenez-y* de Sumatra, qui est comme l'âme de l'appartement.

Un vrai pays de Cocagne, te dis-je, où tout est riche, propre et luisant, comme une belle conscience, comme une magnifique batterie de cuisine, comme une splendide orfèvrerie, comme une bijouterie bariolée ! Les trésors du monde y affluent, comme dans la maison d'un homme laborieux et qui a bien mérité du monde entier. Pays singulier, supérieur aux autres, comme l'Art l'est à la Nature, où celle-ci est réformée par le rêve, où elle est corrigée, embellie, refondue.

Qu'ils cherchent, qu'ils cherchent encore, qu'ils reculent sans cesse les limites de leur bonheur, ces alchimistes de l'horticulture ! Qu'ils proposent des prix de soixante et de cent mille florins pour qui résoudra leurs ambitieux problèmes ! Moi, j'ai trouvé ma *tulipe noire* et mon *dahlia bleu !*

Fleur incomparable, tulipe retrouvée, allégorique dahlia, c'est là, n'est-ce pas, dans ce beau pays si calme et si rêveur, qu'il faudrait aller vivre et fleurir ? Ne serais-tu pas encadrée dans ton analogie, et ne pourrais-tu pas te mirer, pour parler comme les mystiques, dans ta propre *correspondance ?*

Des rêves ! toujours des rêves ! et plus l'âme est ambitieuse et délicate, plus les rêves l'éloignent du possible. Chaque homme porte en lui sa dose d'opium naturel, incessamment sécrétée et renouvelée, et, de la naissance à la mort, combien comptons-nous d'heures remplies par la jouissance positive, par l'action réussie et décidée ? Vivrons-nous jamais, passerons-nous jamais dans ce tableau qu'a peint mon esprit, ce tableau qui te ressemble ?

Ces trésors, ces meubles, ce luxe, cet ordre, ces parfums, ces fleurs miraculeuses, c'est toi. C'est encore toi, ces grands fleuves et ces canaux tranquilles. Ces énormes navires qu'ils charrient, tout chargés de richesses, et d'où montent les chants monotones de la manœuvre, ce sont mes pensées qui dorment ou qui roulent sur ton sein. Tu les conduis doucement vers la mer qui est l'Infini, tout en réfléchissant les profondeurs du ciel dans la limpidité de ta belle âme ; — et quand, fatigués par la houle et gorgés des produits de l'Orient, ils rentrent au port natal, ce sont encore mes pensées enrichies qui reviennent de l'infini vers toi.

XIX

LE JOUJOU DU PAUVRE

Je veux donner l'idée d'un divertissement innocent. Il y a si peu d'amusements qui ne soient pas coupables!

Quand vous sortirez le matin avec l'intention décidée de flâner sur les grandes routes, remplissez vos poches de petites inventions à un sol, — telles que le polichinelle plat mû par un seul fil, les forgerons qui battent l'enclume, le cavalier et son cheval dont la queue est un sifflet, — et le long des cabarets, au pied des arbres, faites-en hommage aux enfants inconnus et pauvres que vous rencontrerez. Vous verrez leurs yeux s'agrandir démesurément. D'abord ils n'oseront pas prendre; ils douteront de leur bonheur. Puis leurs mains agripperont vivement le cadeau, et ils s'enfuiront comme font les chats qui vont manger loin de vous le morceau que vous leur avez donné, ayant appris à se défier de l'homme.

Sur une route, derrière la grille d'un vaste jardin, au bout duquel apparaissait la blancheur d'un joli château frappé par le soleil, se tenait un enfant beau et frais, habillé de ces vêtements de campagne si pleins de coquetterie.

Le luxe, l'insouciance et le spectacle habituel de la richesse, rendent ces enfants-là si jolis qu'on les croirait faits d'une autre pâte que les enfants de la médiocrité ou de la pauvreté.

A côté de lui, gisait sur l'herbe un joujou splendide, aussi frais que son maître, verni, doré, vêtu d'une robe pourpre, et couvert de plumets et de verroteries. Mais

l'enfant ne s'occupait pas de son joujou préféré, et
voici ce qu'il regardait :

De l'autre côté de la grille, sur la route, entre les
chardons et les orties, il y avait un autre enfant, sale,
chétif, fuligineux, un de ces marmots-parias dont un
œil impartial découvrirait la beauté, si, comme l'œil du
connaisseur devine une peinture idéale sous un vernis
de carrossier, il le nettoyait de la répugnante patine de
la misère.

A travers ces barreaux symboliques séparant deux
mondes, la grande route et le château, l'enfant pauvre
montrait à l'enfant riche son propre joujou, que celui-
ci examinait avidement comme un objet rare et inconnu.
Or, ce joujou, que le petit souillon agaçait, agitait et
secouait dans une boîte grillée, c'était un rat vivant !
Les parents, par économie sans doute, avaient tiré le
joujou de la vie elle-même.

Et les deux enfants se riaient l'un à l'autre fraternel-
lement, avec des dents d'une *égale* blancheur.

XX

LES DONS DES FÉES

C'était grande assemblée des Fées, pour procéder à
la répartition des dons parmi tous les nouveau-nés,
arrivés à la vie depuis vingt-quatre heures.

Toutes ces antiques et capricieuses Sœurs du Destin,
toutes ces Mères bizarres de la joie et de la douleur,
étaient fort diverses : les unes avaient l'air sombre et
rechigné; les autres, un air folâtre et malin; les unes,
jeunes, qui avaient toujours été jeunes; les autres,
vieilles, qui avaient toujours été vieilles.

Tous les pères qui ont foi dans les Fées étaient venus,
chacun apportant son nouveau-né dans ses bras.

Les Dons, les Facultés, les bons Hasards, les Circonstances invincibles, étaient accumulés à côté du tribunal, comme les prix sur l'estrade, dans une distribution de prix. Ce qu'il y avait ici de particulier, c'est que
les Dons n'étaient pas la récompense d'un effort, mais
tout au contraire une grâce accordée à celui qui n'avait
pas encore vécu, une grâce pouvant déterminer sa destinée et devenir aussi bien la source de son malheur
que de son bonheur.

Les pauvres Fées étaient très affairées; car la foule
des solliciteurs était grande, et le monde intermédiaire,
placé entre l'homme et Dieu, est soumis comme nous
à la terrible loi du Temps et de son infinie postérité, les
Jours, les Heures, les Minutes, les Secondes.

En vérité, elles étaient aussi ahuries que des ministres
un jour d'audience, ou des employés du Mont-de-Piété
quand une fête nationale autorise les dégagements
gratuits. Je crois même qu'elles regardaient de temps

à autre l'aiguille de l'horloge avec autant d'impatience que des juges humains qui, siégeant depuis le matin, ne peuvent s'empêcher de rêver au dîner, à la famille et à leurs chères pantoufles. Si, dans la justice surnaturelle, il y a un peu de précipitation et de hasard, ne nous étonnons pas qu'il en soit de même quelquefois dans la justice humaine. Nous serions nous-mêmes, en ce cas, des juges injustes.

Aussi furent commises ce jour-là quelques bourdes qu'on pourrait considérer comme bizarres, si la prudence, plutôt que le caprice, était le caractère distinctif, éternel des Fées.

Ainsi la puissance d'attirer magnétiquement la fortune fut adjugée à l'héritier unique d'une famille très riche, qui, n'étant doué d'aucun sens de charité, non plus que d'aucune convoitise pour les biens les plus visibles de la vie, devait se trouver plus tard prodigieusement embarrassé de ses millions.

Ainsi furent donnés l'amour du Beau et la Puissance poétique au fils d'un sombre gueux, carrier de son état, qui ne pouvait, en aucune façon, aider les facultés, ni soulager les besoins de sa déplorable progéniture.

J'ai oublié de vous dire que la distribution, en ces cas solennels, est sans appel, et qu'aucun don ne peut être refusé.

Toutes les Fées se levaient, croyant leur corvée accomplie; car il ne restait plus aucun cadeau, aucune largesse à jeter à tout ce fretin humain, quand un brave homme, un pauvre petit commerçant, je crois, se leva, et, empoignant par sa robe de vapeurs multicolores la Fée qui était le plus à sa portée, s'écria :

« Eh! madame! vous nous oubliez! Il y a encore mon petit! Je ne veux pas être venu pour rien. »

La Fée pouvait être embarrassée; car il ne restait plus *rien*. Cependant elle se souvint à temps d'une loi bien connue, quoique rarement appliquée, dans le monde surnaturel, habité par ces déités impalpables, amies de l'homme, et souvent contraintes de s'adapter à ses passions, telles que les Fées, les Gnomes, les Salamandres, les Sylphides, les Sylphes, les Nixes, les Ondins et les Ondines, — je veux parler de la loi qui concède aux Fées, dans un cas semblable à celui-ci, c'est-à-dire le cas d'épuisement des lots, la faculté d'en donner encore un, supplémentaire et exceptionnel, pourvu toutefois qu'elle ait l'imagination suffisante pour le créer immédiatement.

Donc la bonne Fée répondit, avec un aplomb digne de son rang : « Je donne à ton fils... je lui donne... le *Don de plaire!* »

« Mais plaire comment ? plaire... ? plaire pour quoi ? » demanda opiniâtrément le petit boutiquier, qui était sans doute un de ces raisonneurs si communs, incapables de s'élever jusqu'à la logique de l'Absurde.

« Parce que! parce que! » répliqua la Fée courroucée, en lui tournant le dos; et, rejoignant le cortège de ses compagnes, elle leur disait : « Comment trouvez-vous ce petit Français vaniteux, qui veut tout comprendre, et qui, ayant obtenu pour son fils le meilleur des lots, ose encore interroger et discuter l'indiscutable ? »

XXI

LES TENTATIONS
OU EROS, PLUTUS ET LA GLOIRE

Deux superbes Satans et une Diablesse, non moins extraordinaire, ont la nuit dernière monté l'escalier mystérieux par où l'Enfer donne assaut à la faiblesse de l'homme qui dort, et communique en secret avec lui. Et ils sont venus se poser glorieusement devant moi, debout comme sur une estrade. Une splendeur sulfureuse émanait de ces trois personnages, qui se détachaient ainsi du fond opaque de la nuit. Ils avaient l'air si fier et si plein de domination que je les pris d'abord tous les trois pour de vrais Dieux.

Le visage du premier Satan était d'un sexe ambigu, et il y avait aussi, dans les lignes de son corps, la mollesse des anciens Bacchus. Ses beaux yeux languissants, d'une couleur ténébreuse et indécise, ressemblaient à des violettes chargées encore des lourds pleurs de l'orage, et ses lèvres entr'ouvertes à des cassolettes chaudes, d'où s'exhalait la bonne odeur d'une parfumerie; et, à chaque fois qu'il soupirait, des insectes musqués s'illuminaient, en voletant, aux ardeurs de son souffle.

Autour de sa tunique de pourpre était roulé, en manière de ceinture, un serpent chatoyant qui, la tête relevée, tournait langoureusement vers lui ses yeux de braise. A cette ceinture vivante étaient suspendus, alternant avec des fioles pleines de liqueurs sinistres, de brillants couteaux et des instruments de chirurgie. Dans sa main droite il tenait une autre fiole dont le contenu était d'un rouge lumineux, et qui portait pour étiquette ces mots bizarres : « Buvez, ceci est mon sang, un parfait cordial »; dans la gauche, un violon qui lui servait sans doute à chanter ses plaisirs et ses douleurs, et à répandre la contagion de sa folie dans les nuits de sabbat.

A ses chevilles délicates, traînaient quelques anneaux d'une chaîne d'or rompue, et, quand la gêne qui en résultait le forçait à baisser les yeux vers la terre, il contemplait vaniteusement les ongles de ses pieds, brillants et polis comme des pierres bien travaillées.

Il me regarda avec ses yeux inconsolablement navrés, d'où s'écoulait une insidieuse ivresse, et il me dit d'une voix chantante : « Si tu veux, si tu veux, je te ferai le seigneur des âmes, et tu seras le maître de la matière vivante, plus encore que le sculpteur peut l'être de l'argile; et tu connaîtras le plaisir, sans cesse renaissant, de sortir de toi-même pour t'oublier dans autrui, et d'attirer les autres âmes jusqu'à les confondre avec la tienne. »

Et je lui répondis : « Grand merci! je n'ai que faire de cette pacotille d'êtres qui, sans doute, ne valent pas mieux que mon pauvre moi. Bien que j'aie quelque honte à me souvenir, je ne veux rien oublier; et, quand même je ne te connaîtrais pas, vieux monstre, ta mystérieuse coutellerie, tes fioles équivoques, les chaînes dont tes pieds sont empêtrés, sont des symboles qui expliquent assez clairement les inconvénients de ton amitié. Garde tes présents. »

Le second Satan n'avait ni cet air à la fois tragique et souriant, ni ces belles manières insinuantes, ni cette beauté délicate et parfumée. C'était un homme vaste, à gros visage sans yeux. dont la lourde bedaine surplombait les cuisses, et dont toute la peau était dorée et illustrée, comme d'un tatouage, d'une foule de petites figures mouvantes représentant les formes nombreuses de la misère universelle. Il y avait de petits hommes efflanqués qui se suspendaient volontairement à un clou; il y avait de petits gnomes difformes, maigres, dont les yeux suppliants réclamaient l'aumône mieux encore que leurs mains tremblantes; et puis de vieilles mères portant des avortons accrochés à leurs mamelles exténuées. Il y en avait encore bien d'autres.

Le gros Satan tapait avec son poing sur son immense ventre, d'où sortait alors un long et retentissant cliquetis de métal, qui se terminait en un vague gémissement fait de nombreuses voix humaines. Et il riait, en montrant impudemment ses dents gâtées, d'un énorme rire imbécile, comme certains hommes de tous les pays quand ils ont trop bien dîné.

Et celui-là me dit : « Je puis te donner ce qui obtient tout, ce qui vaut tout, ce qui remplace tout ! » Et il tapa sur son ventre monstrueux, dont l'écho sonore fit le commentaire de sa grossière parole.

Je me détournai avec dégoût, et je répondis : « Je n'ai besoin, pour ma jouissance, de la misère de personne ; et je ne veux pas d'une richesse attristée, comme un papier de tenture, de tous les malheurs représentés sur ta peau. »

Quant à la Diablesse, je mentirais si je n'avouais pas qu'à première vue je lui trouvai un bizarre charme. Pour définir ce charme, je ne saurais le comparer à rien de mieux qu'à celui des très belles femmes sur le retour, qui cependant ne vieillissent plus, et dont la beauté garde la magie pénétrante des ruines. Elle avait l'air à la fois impérieux et dégingandé, et ses yeux, quoique battus, contenaient une force fascinatrice. Ce qui me frappa le plus, ce fut le mystère de sa voix, dans laquelle je retrouvais le souvenir des *contralti* les plus délicieux et aussi un peu de l'enrouement des gosiers incessamment lavés par l'eau-de-vie.

« Veux-tu connaître ma puissance ? » dit la fausse déesse avec sa voix charmante et paradoxale. « Ecoute. »

Et elle emboucha alors une gigantesque trompette, enrubannée, comme un mirliton, des titres de tous les journaux de l'univers, et à travers cette trompette elle cria mon nom, qui roula ainsi à travers l'espace avec le bruit de cent mille tonnerres, et me revint répercuté par l'écho de la plus lointaine planète.

« Diable ! » fis-je, à moitié subjugué, « voilà qui est précieux ! » Mais, en examinant plus attentivement la séduisante virago, il me sembla vaguement que je la reconnaissais pour l'avoir vue trinquant avec quelques drôles de ma connaissance; et le son rauque du cuivre apporta à mes oreilles je ne sais quel souvenir d'une trompette prostituée.

Aussi je répondis, avec tout mon dédain : « Va-t'en! Je ne suis pas fait pour épouser la maîtresse de certains que je ne veux pas nommer. »

Certes, d'une si courageuse abnégation j'avais le droit d'être fier. Mais malheureusement je me réveillai, et toute ma force m'abandonna. « En vérité, me dis-je, il fallait que je fusse bien lourdement assoupi pour montrer de tels scrupules. Ah! s'ils pouvaient revenir pendant que je suis éveillé, je ne ferais pas tant le délicat! »

Et je les invoquai à haute voix, les suppliant de me pardonner, leur offrant de me déshonorer aussi souvent qu'il le faudrait pour mériter leurs faveurs; mais je les avais sans doute fortement offensés, car ils ne sont jamais revenus.

XXII

LE CRÉPUSCULE DU SOIR

Le jour tombe. Un grand apaisement se fait dans les pauvres esprits fatigués du labeur de la journée; et leurs pensées prennent maintenant les couleurs tendres et indécises du crépuscule.

Cependant du haut de la montagne arrive à mon balcon, à travers les nues transparentes du soir, un grand hurlement, composé d'une foule de cris discordants, que l'espace transforme en une lugubre harmonie, comme celle de la marée qui monte ou d'une tempête qui s'éveille.

Quels sont les infortunés que le soir ne calme pas, et qui prennent, comme les hiboux, la venue de la nuit pour un signal de sabbat? Cette sinistre ululation nous arrive du noir hospice perché sur la montagne; et, le soir, en fumant et en contemplant le repos de l'immense vallée, hérissée de maisons dont chaque fenêtre dit : « C'est ici la paix maintenant; c'est ici la joie de la famille! » je puis, quand le vent souffle de là-haut, bercer ma pensée étonnée à cette imitation des harmonies de l'enfer.

Le crépuscule excite les fous. — Je me souviens que j'ai eu deux amis que le crépuscule rendait tout malades. L'un méconnaissait alors tous les rapports d'amitié et de politesse, et maltraitait, comme un sauvage, le premier venu. Je l'ai vu jeter à la tête d'un maître d'hôtel un excellent poulet, dans lequel il croyait voir je ne sais quel insultant hiéroglyphe. Le soir, précurseur des voluptés profondes, lui gâtait les choses les plus succulentes.

L'autre, un ambitieux blessé, devenait, à mesure que le jour baissait, plus aigre, plus sombre, plus taquin. Indulgent et sociable encore pendant la journée, il était impitoyable le soir; et ce n'était pas seulement sur autrui, mais aussi sur lui-même, que s'exerçait rageusement sa manie crépusculeuse.

Le premier est mort fou, incapable de reconnaître sa femme et son enfant; le second porte en lui l'inquiétude d'un malaise perpétuel, et, fût-il gratifié de tous les honneurs que peuvent conférer les républiques et les princes, je crois que le crépuscule allumerait encore en lui la brûlante envie de distinctions imaginaires. La nuit, qui mettait ses ténèbres dans leur esprit, fait la lumière dans le mien; et, bien qu'il ne soit pas rare de voir la même cause engendrer deux effets contraires, j'en suis toujours comme intrigué et alarmé.

O nuit! ô rafraîchissantes ténèbres! vous êtes pour moi le signal d'une fête intérieure, vous êtes la délivrance d'une angoisse! Dans la solitude des plaines, dans les labyrinthes pierreux d'une capitale, scintillement des étoiles, explosion des lanternes, vous êtes le feu d'artifice de la déesse Liberté!

Crépuscule, comme vous êtes doux et tendre! Les lueurs roses qui traînent encore à l'horizon comme l'agonie du jour sous l'oppression victorieuse de sa nuit, les feux des candélabres qui font des taches d'un rouge opaque sur les dernières gloires du couchant, les lourdes draperies qu'une main invisible attire des profondeurs de l'Orient, imitent tous les sentiments compliqués qui luttent dans le cœur de l'homme aux heures solennelles de la vie.

On dirait encore une de ces robes étranges de danseuses, où une gaze transparente et sombre laisse entrevoir les splendeurs amorties d'une jupe éclatante, comme sous le noir présent transperce le délicieux passé; et les étoiles vacillantes d'or et d'argent, dont elle est semée, représentent ces feux de la fantaisie qui ne s'allument bien que sous le deuil profond de la Nuit.

XXIII

LA SOLITUDE

Un gazetier philanthrope me dit que la solitude est mauvaise pour l'homme; et, à l'appui de sa thèse, il cite, comme tous les incrédules, des paroles des Pères de l'Eglise.

Je sais que le Démon fréquente volontiers les lieux arides, et que l'Esprit du meurtre et de lubricité s'enflamme merveilleusement dans les solitudes. Mais il serait possible que cette solitude ne fût dangereuse que pour l'âme oisive et divagante qui la peuple de ses passions et de ses chimères.

Il est certain qu'un bavard, dont le suprême plaisir consiste à parler du haut d'une chaire ou d'une tribune, risquerait fort de devenir fou furieux dans l'île de Robinson. Je n'exige pas de mon gazetier les courageuses vertus de Crusoé, mais je demande qu'il ne décrète pas d'accusation les amoureux de la solitude et du mystère.

Il y a dans nos races jacassières des individus qui accepteraient avec moins de répugnance le supplice suprême, s'il leur était permis de faire du haut de l'échafaud une copieuse harangue. sans craindre que les tambours de Santerre ne leur coupassent intempestivement la parole.

Je ne les plains pas, parce que je devine que leurs effusions oratoires leur procurent des voluptés égales à celles que d'autres tirent du silence et du recueillement; mais je les méprise.

Je désire surtout que mon maudit gazetier me laisse m'amuser à ma guise. « Vous n'éprouvez donc jamais,

— me dit-il, avec un ton de nez très apostolique, — le besoin de partager vos jouissances ? » Voyez-vous le subtil envieux ! Il sait que je dédaigne les siennes, et il vient s'insinuer dans les miennes, le hideux trouble-fête !

« Ce grand malheur de ne pouvoir être seul!... » dit quelque part La Bruyère, comme pour faire honte à tous ceux qui courent s'oublier dans la foule, craignant sans doute de ne pouvoir se supporter eux-mêmes.

« Presque tous nos malheurs nous viennent de n'avoir pas su rester dans notre chambre », dit un autre sage, Pascal, je crois, rappelant ainsi dans la cellule du recueillement tous ces affolés qui cherchent le bonheur dans le mouvement et dans une prostitution que je pourrais appeler *fraternitaire*, si je voulais parler la belle langue de mon siècle.

XXIV

LES PROJETS

Il se disait, en se promenant dans un grand parc solitaire : « Comme elle serait belle dans un costume de cour, compliqué et fastueux, descendant, à travers l'atmosphère d'un beau soir, les degrés de marbre d'un palais, en face des grandes pelouses et des bassins ! Car elle a naturellement l'air d'une princesse. »

En passant plus tard dans une rue, il s'arrêta devant une boutique de gravures, et, trouvant dans un carton une estampe représentant un voyage tropical, il se dit : « Non ! ce n'est pas dans un palais que je voudrais posséder sa chère vie. Nous n'y serions pas *chez nous*. D'ailleurs ces murs criblés d'or ne laisseraient pas une place pour accrocher son image ; dans ces solennelles galeries, il n'y a pas un coin pour l'intimité. Décidément, c'est *là* qu'il faudrait demeurer pour cultiver le rêve de ma vie. »

Et, tout en analysant des yeux les détails de la gravure, il continuait mentalement : « Au bord de la mer, une belle case en bois, enveloppée de tous ces arbres bizarres et luisants dont j'ai oublié les noms..., dans l'atmosphère, une odeur enivrante, indéfinissable ..., dans la case un puissant parfum de rose et de musc..., plus loin, derrière notre petit domaine, des bouts de mâts balancés par la houle..., autour de nous, au-delà de la chambre éclairée d'une lumière rose tamisée par les stores, décorée de nattes fraîches et de fleurs capiteuses, avec de rares sièges d'un rococo portugais, d'un bois lourd et ténébreux (où elle reposerait si calme, si bien éventée, fumant le tabac légèrement

opiacé!), au-delà de la varangue, le tapage des oiseaux
ivres de lumières, et le jacassement des petites négresses...
et, la nuit, pour servir d'accompagnement à mes songes,
le chant plaintif des arbres à musique, des mélancoliques filaos! Oui, en vérité, c'est bien *là* le décor que
je cherchais. Qu'ai-je à faire de palais ? »

Et plus loin, comme il suivait une grande avenue,
il aperçut une auberge proprette, où d'une fenêtre
égayée par des rideaux d'indienne bariolée se pen-
chaient deux têtes rieuses. Et tout de suite : « Il faut,
— se dit-il, — que ma pensée soit une grande vaga-
bonde pour aller chercher si loin ce qui est si près de
moi. Le plaisir et le bonheur sont dans la première
auberge venue, dans l'auberge du hasard, si féconde
en voluptés. Un grand feu, des faïences voyantes,
un souper passable, un vin rude, et un lit très large
avec des draps un peu âpres, mais frais; quoi de
mieux ? »

Et en rentrant seul chez lui, à cette heure où les
conseils de la Sagesse ne sont plus étouffés par les
bourdonnements de la vie extérieure, il se dit : « J'ai
eu aujourd'hui, en rêve, trois domiciles où j'ai trouvé
un égal plaisir. Pourquoi contraindre mon corps à
changer de place, puisque mon âme voyage si leste-
ment ? Et à quoi bon exécuter des projets, puisque
le projet est en lui-même une jouissance suffisante ? »

XXV

LA BELLE DOROTHÉE

Le soleil accable la ville de sa lumière droite et terrible; le sable est éblouissant et la mer miroite. Le monde stupéfié s'affaisse lâchement et fait la sieste, une sieste qui est une espèce de mort savoureuse où le dormeur, à demi éveillé, goûte les voluptés de son anéantissement.

Cependant Dorothée, forte et fière comme le soleil, s'avance dans la rue déserte, seule vivante à cette heure sous l'immense azur, et faisant sur la lumière une tache éclatante et noire.

Elle s'avance, balançant mollement son torse si mince sur ses hanches si larges. Sa robe de soie collante, d'un ton clair et rose, tranche vivement sur les ténèbres de sa peau et moule exactement sa taille longue, son dos creux et sa gorge pointue.

Son ombrelle rouge, tamisant la lumière, projette sur son visage sombre le fard sanglant de ses reflets.

Le poids de son énorme chevelure presque bleue tire en arrière sa tête délicate et lui donne un air triomphant et paresseux. De lourdes pendeloques gazouillent secrètement à ses mignonnes oreilles.

De temps en temps la brise de mer soulève par le coin sa jupe flottante et montre sa jambe luisante et superbe; et son pied, pareil aux pieds des déesses de marbre que l'Europe enferme dans ses musées, imprime fidèlement sa forme sur le sable fin. Car Dorothée est si prodigieusement coquette que le plaisir d'être admirée l'emporte chez elle sur l'orgueil de l'affranchie, et, bien qu'elle soit libre, elle marche sans souliers.

Elle s'avance ainsi, harmonieusement, heureuse de vivre et souriant d'un blanc sourire, comme si elle apercevait au loin dans l'espace un miroir reflétant sa démarche et sa beauté.

A l'heure où les chiens eux-mêmes gémissent de douleur sous le soleil qui les mord, quel puissant motif fait donc aller ainsi la paresseuse Dorothée, belle et froide comme le bronze ?

Pourquoi a-t-elle quitté sa petite case si coquettement arrangée, dont les fleurs et les nattes font à si peu de frais un parfait boudoir ; où elle prend tant de plaisir à se peigner, à fumer, à se faire éventer ou à se regarder dans le miroir de ses grands éventails de plumes, pendant que la mer, qui bat la plage à cent pas de là, fait à ses rêveries indécises un puissant et monotone accompagnement, et que la marmite de fer, où cuit un ragoût de crabes au riz et au safran, lui envoie, du fond de la cour, ses parfums excitants ?

Peut-être a-t-elle un rendez-vous avec quelque jeune officier qui, sur des plages lointaines, a entendu parler par ses camarades de la célèbre Dorothée. Infailliblement elle le priera, la simple créature, de lui décrire le bal de l'Opéra, et lui demandera si on peut y aller pieds nus, comme aux danses du dimanche, où les vieilles Cafrines elles-mêmes deviennent ivres et furieuses de joie ; et puis encore si les belles dames de Paris sont toutes plus belles qu'elle.

Dorothée est admirée et choyée de tous, et elle serait parfaitement heureuse si elle n'était obligée d'entasser piastre sur piastre pour racheter sa petite sœur qui a bien onze ans, et qui est déjà mûre, et si belle ! Elle réussira sans doute, la bonne Dorothée ; le maître de l'enfant est si avare, trop avare pour comprendre une autre beauté que celle des écus !

XXVI

LES YEUX DES PAUVRES

Ah! vous voulez savoir pourquoi je vous hais aujourd'hui. Il vous sera sans doute moins facile de le comprendre qu'à moi de vous l'expliquer; car vous êtes, je crois, le plus bel exemple d'imperméabilité féminine qui se puisse rencontrer.

Nous avions passé ensemble une longue journée qui m'avait paru courte. Nous nous étions bien promis que toutes nos pensées nous seraient communes à l'un et à l'autre, et que nos deux âmes désormais n'en feraient plus qu'une; — un rêve qui n'a rien d'original, après tout, si ce n'est que, rêvé par tous les hommes, il n'a été réalisé par aucun.

Le soir, un peu fatiguée, vous voulûtes vous asseoir devant un café neuf qui formait le coin d'un boulevard neuf, encore tout plein de gravois et montrant déjà glorieusement ses splendeurs inachevées. Le café étincelait. Le gaz lui-même y déployait toute l'ardeur d'un début, et éclairait de toutes ses forces les murs aveuglants de blancheur, les nappes éblouissantes des miroirs, les ors des baguettes et des corniches, les pages aux joues rebondies traînés par les chiens en laisse, les dames riant au faucon perché sur leur poing, les nymphes et les déesses portant sur leur tête des fruits, des pâtés et du gibier, les Hébés et les Ganymèdes présentant à bras tendu la petite amphore à bavaroises ou l'obélisque bicolore des glaces panachées; toute l'histoire et toute la mythologie mises au service de la goinfrerie.

Droit devant nous, sur la chaussée, était planté un

brave homme d'une quarantaine d'années, au visage
fatigué, à la barbe grisonnante, tenant d'une main
un petit garçon et portant sur l'autre bras un
petit être trop faible pour marcher. Il remplissait
l'office de bonne et faisait prendre à ses enfants l'air
du soir. Tous en guenilles. Ces trois visages étaient
extraordinairement sérieux, et ces six yeux contem-
plaient fixement le café nouveau avec une admiration
égale, mais nuancée diversement par l'âge.

Les yeux du père disaient : « Que c'est beau! que
c'est beau! on dirait que tout l'or du pauvre monde
est venu se porter sur ces murs. » — Les yeux du petit
garçon : « Que c'est beau! que c'est beau! mais c'est
une maison où peuvent seuls entrer les gens qui ne
sont pas comme nous. » — Quant aux yeux du plus
petit, ils étaient trop fascinés pour exprimer autre
chose qu'une joie stupide et profonde.

Les chansonniers disent que le plaisir rend l'âme
bonne et amollit le cœur. La chanson avait raison ce
soir-là, relativement à moi. Non seulement j'étais
attendri par cette famille d'yeux, mais je me sentais
un peu honteux de nos verres et de nos carafes, plus
grands que notre soif. Je tournais mes regards vers
les vôtres, cher amour, pour y lire *ma* pensée; je
plongeais dans vos yeux si beaux et si bizarrement
doux, dans vos yeux verts, habités par le Caprice et
inspirés par la Lune, quand vous me dites : « Ces
gens-là me sont insupportables avec leurs yeux ouverts
comme des portes cochères! Ne pourriez-vous pas
prier le maître du café de les éloigner d'ici ? »

Tant il est difficile de s'entendre, mon cher ange, et
tant la pensée est incommunicable, même entre gens
qui s'aiment!

UNE MORT HÉROIQUE

Fancioulle était un admirable bouffon, et presque un des amis du Prince. Mais pour les personnes vouées par état au comique, les choses sérieuses ont de fatales attractions, et, bien qu'il puisse paraître bizarre que les idées de patrie et de liberté s'emparent despotiquement du cerveau d'un histrion, un jour Fancioulle entra dans une conspiration formée par quelques gentilshommes mécontents.

Il existe partout des hommes de bien pour dénoncer au pouvoir ces individus d'humeur atrabilaire qui veulent déposer les princes et opérer, sans la consulter, le déménagement d'une société. Les seigneurs en question furent arrêtés, ainsi que Fancioulle, et voués à une mort certaine.

Je croirais volontiers que le Prince fut presque fâché de trouver son comédien favori parmi les rebelles. Le Prince n'était ni meilleur ni pire qu'un autre; mais une excessive sensibilité le rendait, en beaucoup de cas, plus cruel et plus despote que tous ses pareils. Amoureux passionné des beaux-arts, excellent connaisseur d'ailleurs, il était vraiment insatiable de voluptés. Assez indifférent relativement aux hommes et à la morale, véritable artiste lui-même, il ne connaissait d'ennemi dangereux que l'Ennui, et les efforts bizarres qu'il faisait pour fuir ou pour vaincre ce tyran du monde lui auraient certainement attiré, de la part d'un historien sévère, l'épithète de « monstre », s'il avait été permis, dans ses domaines, d'écrire quoi que ce fût qui ne tendît pas uniquement au plaisir ou à l'étonnement, qui est une des formes les plus délicates du plaisir. Le grand malheur de ce Prince fut qu'il n'eut jamais un théâtre assez vaste pour son génie, Il y a de jeunes Nérons qui étouffent dans des limites trop étroites, et dont les siècles à venir ignoreront toujours le nom et la bonne volonté. L'imprévoyante Providence avait donné à celui-ci des facultés plus grandes que ses Etats.

Tout d'un coup le bruit courut que le souverain voulait faire grâce à tous les conjurés; et l'origine de ce bruit fut l'annonce d'un grand spectacle où Fancioulle devait jouer l'un de ses principaux et de ses meilleurs rôles, et auquel assisteraient même, disait-on, les gentilshommes condamnés; signe évident, ajoutaient les esprits superficiels, des tendances généreuses du Prince offensé.

De la part d'un homme aussi naturellement et volontairement excentrique, tout était possible, même la vertu, même la clémence, surtout s'il avait pu espérer y trouver des plaisirs inattendus. Mais pour ceux qui, comme moi, avaient pu pénétrer plus avant dans les profondeurs de cette âme curieuse et malade, il était infiniment plus probable que le Prince voulait juger de la valeur des talents scéniques d'un homme condamné à mort. Il voulait profiter de l'occasion pour faire une expérience physiologique d'un intérêt *capital*, et vérifier jusqu'à quel point les facultés habituelles d'un artiste pouvaient être altérées ou modifiées par la situation extraordinaire où il se trouvait; au-delà, existait-il dans son âme une intention plus ou moins arrêtée de clémence ? C'est un point qui n'a jamais pu être éclairci.

Enfin, le grand jour arrivé, cette petite cour déploya toutes ses pompes, et il serait difficile de concevoir, à moins de l'avoir vu, tout ce que la classe privilégiée d'un petit Etat, à ressources restreintes, peut montrer de splendeurs pour une vraie solennité. Celle-là était doublement vraie, d'abord par la magie du luxe étalé, ensuite par l'intérêt moral et mystérieux qui y était attaché.

Le sieur Fancioulle excellait surtout dans les rôles

muets ou peu chargés de paroles, qui sont souvent les principaux dans ces drames féeriques dont l'objet est de représenter symboliquement le mystère de la vie. Il entra en scène légèrement et avec une aisance parfaite, ce qui contribua à fortifier, dans le noble public, l'idée de douceur et de pardon.

Quand on dit d'un comédien : « Voilà un bon comédien », on se sert d'une formule qui implique que sous le personnage se laisse encore deviner le comédien, c'est-à-dire l'art, l'effort, la volonté. Or, si un comédien arrivait à être, relativement au personnage qu'il est chargé d'exprimer, ce que les meilleures statues de l'antiquité, miraculeusement animées, vivantes, marchantes, voyantes, seraient relativement à l'idée générale et confuse de beauté, ce serait là, sans doute, un cas singulier et tout à fait imprévu. Fancioulle fut, ce soir-là, une parfaite idéalisation, qu'il était impossible de ne pas supposer vivante, possible, réelle. Ce bouffon allait, venait, riait, pleurait, se convulsait, avec une indestructible auréole autour de la tête, auréole invisible pour tous, mais visible pour moi, et où se mêlaient, dans un étrange amalgame, les rayons de l'Art et la gloire du Martyre. Fancioulle introduisait, par je ne sais quelle grâce spéciale, le divin et le surnaturel, jusque dans les plus extravagantes bouffonneries. Ma plume tremble, et des larmes d'une émotion toujours présente me montent aux yeux pendant que je cherche à vous décrire cette inoubliable soirée. Fancioulle me prouvait, d'une manière péremptoire, irréfutable, que l'ivresse de l'Art est plus apte que toute autre à voiler les terreurs du gouffre; que le génie peut jouer la comédie au bord de la tombe avec une joie qui l'empêche de voir la tombe, perdu, comme il est, dans un paradis excluant toute idée de tombe et de destruction.

Tout ce public, si blasé et frivole qu'il pût être, subit bientôt la toute-puissante domination de l'artiste. Personne ne rêva plus de mort, de deuil, ni de supplices. Chacun s'abandonna, sans inquiétude, aux voluptés multipliées que donne la vue d'un chef-d'œuvre d'art vivant. Les explosions de la joie et de

l'admiration ébranlèrent à plusieurs reprises les voûtes
de l'édifice avec l'énergie d'un tonnerre continu. Le
Prince lui-même, enivré, mêla ses applaudissements à
ceux de sa cour.

Cependant, pour un œil clairvoyant, son ivresse, à
lui, n'était pas sans mélange. Se sentait-il vaincu dans
son pouvoir de despote ? humilié dans son art de
terrifier les cœurs et d'engourdir les esprits ? frustré de
ses espérances et bafoué dans ses prévisions ? De telles
suppositions non exactement justifiées, mais non
absolument injustifiables, traversèrent mon esprit
pendant que je contemplais le visage du Prince, sur
lequel une pâleur nouvelle s'ajoutait sans cesse à sa
pâleur habituelle, comme la neige s'ajoute à la neige.
Ses lèvres se resserraient de plus en plus, et ses yeux
s'éclairaient d'un feu intérieur semblable à celui de
la jalousie et de la rancune, même pendant qu'il
applaudissait ostensiblement les talents de son vieil
ami, l'étrange bouffon, qui bouffonnait si bien la
mort. A un certain moment, je vis Son Altesse se
pencher vers un petit page, placé derrière elle, et lui
parler à l'oreille. La physionomie espiègle du joli
enfant s'illumina d'un sourire ; et puis il quitta vivement la loge princière comme pour s'acquitter d'une
commission urgente.

Quelques minutes plus tard un coup de sifflet aigu,
prolongé, interrompit Fancioulle dans un de ses meilleurs moments, et déchira à la fois les oreilles et
les cœurs. Et, de l'endroit de la salle d'où avait
jailli cette désapprobation inattendue, un enfant
se précipitait dans un corridor, avec des rires
étouffés.

Fancioulle, secoué, réveillé dans son rêve, ferma
d'abord les yeux, puis les rouvrit presque aussitôt,
démesurément agrandis, ouvrit ensuite la bouche
comme pour respirer convulsivement, chancela un
un peu en avant, un peu en arrière, et puis tomba
roide mort sur les planches.

Le sifflet, rapide comme un glaive, avait-il réellement
frustré le bourreau ? Le Prince avait-il lui-même deviné
toute l'homicide efficacité de sa ruse ? Il est permis

d'en douter. Regretta-t-il son cher et inimitable Fancioulle ? Il est doux et légitime de le croire.

Les gentilshommes coupables avaient joui pour la dernière fois du spectacle de la comédie. Dans la même nuit ils furent effacés de la vie.

Depuis lors, plusieurs mimes, justement appréciés dans différents pays, sont venus jouer devant la cour de ***; mais aucun d'eux n'a pu rappeler les merveilleux talents de Fancioulle, ni s'élever jusqu'à la même *faveur*.

XXVIII

LA FAUSSE MONNAIE

Comme nous nous éloignions du bureau de tabac, mon ami fit un soigneux triage de sa monnaie; dans la poche gauche de son gilet il glissa de petites pièces d'or; dans la droite, de petites pièces d'argent; dans la poche gauche de sa culotte, une masse de gros sols, et enfin, dans la droite, une pièce d'argent de deux francs qu'il avait particulièrement examinée.

« Singulière et minutieuse répartition! » me dis-je en moi-même.

Nous fîmes la rencontre d'un pauvre qui nous tendit sa casquette en tremblant. — Je ne connais rien de plus inquiétant que l'éloquence muette de ces yeux suppliants, qui contiennent à la fois, pour l'homme sensible qui sait y lire, tant d'humilité, tant de reproches. Il y trouve quelque chose approchant cette profondeur de sentiment compliqué, dans les yeux larmoyants des chiens qu'on fouette.

L'offrande de mon ami fut beaucoup plus considérable que la mienne, et je lui dis : « Vous avez raison; après le plaisir d'être étonné, il n'en est pas de plus grand que celui de causer une surprise. — C'était la pièce fausse », me répondit-il tranquillement, comme pour se justifier de sa prodigalité.

Mais dans mon misérable cerveau, toujours occupé à chercher midi à quatorze heures (de quelle fatigante faculté la nature m'a fait cadeau!) entra soudainement cette idée qu'une pareille conduite, de la part de mon ami, n'était excusable que par le désir de créer un événement dans la vie de ce pauvre diable, peut-être même de connaître les conséquences diverses, funestes ou autres, que peut engendrer une pièce fausse dans la main d'un mendiant. Ne pouvait-elle pas se multiplier en pièces vraies ? Ne pouvait-elle pas aussi le conduire en prison ? Un cabaretier, un boulanger, par exemple, allait peut-être le faire arrêter comme faux monnayeur ou comme propagateur de fausse monnaie. Tout aussi bien la pièce fausse serait peut-être, pour un pauvre petit spéculateur, le germe d'une richesse de quelques jours. Et ainsi ma fantaisie allait son train, prêtant des ailes à l'esprit de mon ami et tirant toutes les déductions possibles de toutes les hypothèses possibles.

Mais celui-ci rompit brusquement ma rêverie en reprenant mes propres paroles : « Oui, vous avez raison ; il n'est pas de plaisir plus doux que de surprendre un homme en lui donnant plus qu'il n'espère. »

Je le regardai dans le blanc des yeux, et je fus épouvanté de voir que ses yeux brillaient d'une incontestable candeur. Je vis alors clairement qu'il avait voulu faire à la fois la charité et une bonne affaire ; gagner quarante sols et le cœur de Dieu ; emporter le paradis économiquement ; enfin attraper gratis un brevet d'homme charitable. Je lui aurais presque pardonné le désir de la criminelle jouissance dont je le supposais tout à l'heure capable ; j'aurais trouvé curieux, singulier, qu'il s'amusât à compromettre les pauvres ; mais je ne lui pardonnerai jamais l'ineptie de son calcul. On n'est jamais excusable d'être méchant, mais il y a quelque mérite à savoir qu'on l'est ; et le plus irréparable des vices est de faire le mal par bêtise.

XXIX

LE JOUEUR GÉNÉREUX

Hier, à travers la foule du boulevard, je me sentis frôlé par un Etre mystérieux que j'avais toujours désiré connaître, et que je reconnus tout de suite, quoique je ne l'eusse jamais vu. Il y avait sans doute chez lui, relativement à moi, un désir analogue, car il me fit, en passant, un clignement d'œil significatif auquel je me hâtai d'obéir. Je le suivis attentivement, et bientôt je descendis derrière lui dans une demeure souterraine, éblouissante, où éclatait un luxe dont aucune des habitations supérieures de Paris ne pourrait fournir un exemple approchant. Il me parut singulier que j'eusse pu passer si souvent à côté de ce prestigieux repaire sans en deviner l'entrée. Là régnait une atmosphère exquise, quoique capiteuse, qui faisait oublier presque instantanément toutes les fastidieuses horreurs de la vie; on y respirait une béatitude sombre, analogue à celle que durent éprouver les mangeurs de lotus quand, débarquant dans une île enchantée, éclairée des lueurs d'une éternelle après-midi, ils sentirent naître en eux, aux sons assoupissants des mélodieuses cascades, le désir de ne jamais revoir leurs pénates, leurs femmes, leurs enfants, et de ne jamais remonter sur les hautes lames de la mer.

Il y avait là des visages étranges d'hommes et de femmes, marqués d'une beauté fatale, qu'il me semblait avoir vus déjà à des époques et dans des pays dont il m'était impossible de me souvenir exactement, et qui m'inspiraient plutôt une sympathie fraternelle que cette crainte qui naît ordinairement à l'aspect de l'inconnu.

Si je voulais essayer de définir d'une manière quelconque l'expression singulière de leurs regards, je
dirais que jamais je ne vis d'yeux brillant plus énergi-
quement de l'horreur de l'ennui et du désir immortel
de se sentir vivre.

Mon hôte et moi, nous étions déjà, en nous asseyant,
de vieux et parfaits amis. Nous mangeâmes, nous
bûmes outre mesure de toutes sortes de vins extraordinaires, et, chose non moins extraordinaire, il me semblait, après plusieurs heures, que je n'étais pas plus
ivre que lui. Cependant le jeu, ce plaisir surhumain,
avait coupé à divers intervalles nos fréquentes liba-
tions, et je dois dire que j'avais joué et perdu mon
âme, en partie liée, avec une insouciance et une légèreté héroïques. L'âme est une chose si impalpable, si
souvent inutile et quelquefois si gênante, que je
n'éprouvai, quant à cette perte, qu'un peu moins
d'émotion que si j'avais égaré, dans une promenade,
ma carte de visite.

Nous fumâmes longuement quelques cigares dont
la saveur et le parfum incomparables donnaient à
l'âme la nostalgie de pays et de bonheurs inconnus, et,
enivré de toutes ces délices, j'osai, dans un accès de
familiarité qui ne parut pas lui déplaire, m'écrier, en
m'emparant d'une coupe pleine jusqu'au bord : « A
votre immortelle santé, vieux Bouc ! »

Nous causâmes aussi de l'univers, de sa création et
de sa future destruction ; de la grande idée du siècle,
c'est-à-dire du progrès et de la perfectibilité, et, en
général, de toutes les formes de l'infatuation humaine.
Sur ce sujet-là, Son Altesse ne tarissait pas en plaisanteries légères et irréfutables, et elle s'exprimait avec
une suavité de diction et une tranquillité dans la drôlerie que je n'ai trouvées dans aucun des plus célèbres
causeurs de l'humanité. Elle m'expliqua l'absurdité des
différentes philosophies qui avaient jusqu'à présent pris
possession du cerveau humain, et daigna même me
faire confidence de quelques principes fondamentaux
dont il ne me convient pas de partager les bénéfices et
la propriété avec qui que ce soit. Elle ne se plaignit en
aucune façon de la mauvaise réputation dont elle jouit

dans toutes les parties du monde, m'assura qu'elle
était, elle-même, la personne la plus intéressée à la
destruction de la *superstition*, et m'avoua qu'elle
n'avait eu peur, relativement à son propre pouvoir,
qu'une seule fois, c'était le jour où elle avait entendu
un prédicateur, plus subtil que ses confrères, s'écrier en
chaire : « Mes chers frères, n'oubliez jamais, quand
vous entendrez vanter le progrès des lumières, que la
plus belle des ruses du diable est de vous persuader
qu'il n'existe pas! »

Le souvenir de ce célèbre orateur nous conduisit
naturellement vers le sujet des académies, et mon
étrange convive m'affirma qu'il ne dédaignait pas, en
beaucoup de cas, d'inspirer la plume, la parole et la
conscience des pédagogues, et qu'il assistait presque
toujours en personne, quoique invisible, à toutes les
séances académiques.

Encouragé par tant de bontés, je lui demandai des
nouvelles de Dieu, et s'il l'avait vu récemment. Il me
répondit, avec une insouciance nuancée d'une certaine
tristesse : « Nous nous saluons quand nous nous ren-
controns, mais comme deux vieux gentilshommes, en
qui une politesse innée ne saurait éteindre tout à fait le
souvenir d'anciennes rancunes. »

Il est douteux que Son Altesse ait jamais donné une
si longue audience à un simple mortel, et je craignais
d'abuser. Enfin, comme l'aube frissonnante blanchis-
sait les vitres, ce célèbre personnage, chanté par tant
de poètes et servi par tant de philosophes qui tra-
vaillent à sa gloire sans le savoir, me dit : « Je veux que
vous gardiez de moi un bon souvenir, et vous prouver
que Moi, dont on dit tant de mal, je suis quelquefois
bon diable, pour me servir d'une de vos locutions vulgaires. Afin de compenser la perte irrémédiable que
vous avez faite de votre âme, je vous donne l'enjeu
que vous auriez gagné si le sort avait été pour vous,
c'est-à-dire la possibilité de soulager et de vaincre, pendant toute votre vie, cette bizarre affection de l'Ennui,
qui est la source de toutes vos maladies et de tous vos
misérables progrès. Jamais un désir ne sera formé par
vous, que je ne vous aide à le réaliser; vous régnerez

sur vos vulgaires semblables; vous serez fourni de
flatteries et même d'adorations; l'argent, l'or, les diamants, les palais féeriques, viendront vous chercher et
vous prieront de les accepter, sans que vous ayez fait
un effort pour les gagner; vous changerez de patrie
et de contrée aussi souvent que votre fantaisie vous
l'ordonnera; vous vous soûlerez de voluptés, sans las-
situde, dans des pays charmants où il fait toujours
chaud et où les femmes sentent aussi bon que les
fleurs, — et cætera, et cætera... », ajouta-t-il en se levant
et en me congédiant avec un bon sourire.

Si ce n'eût été la crainte de m'humilier devant une
aussi grande assemblée, je serais volontiers tombé aux
pieds de ce joueur généreux pour le remercier de son
inouïe munificence. Mais peu à peu, après que je l'eus
quitté, l'incurable défiance rentra dans mon sein; je
n'osais plus croire à un si prodigieux bonheur, et, en
me couchant, faisant encore ma prière par un reste
d'habitude imbécile, je répétais dans un demi-som-
meil : « Mon Dieu! Seigneur, mon Dieu! faites que le
diable me tienne sa parole! »

XXX

LA CORDE

A EDOUARD MANET

« Les illusions, — me disait mon ami, — sont aussi innombrables peut-être que les rapports des hommes entre eux, ou des hommes avec les choses. Et, quand l'illusion disparaît, c'est-à-dire quand nous voyons l'être ou le fait tel qu'il existe en dehors de nous, nous éprouvons un bizarre sentiment, compliqué moitié de regret pour le fantôme disparu, moitié de surprise agréable devant la nouveauté, devant le fait réel. S'il existe un phénomène évident, trivial, toujours semblable, et d'une nature à laquelle il soit impossible de se tromper, c'est l'amour maternel. Il est aussi difficile de supposer une mère sans amour maternel qu'une lumière sans chaleur; n'est-il donc pas parfaitement légitime d'attribuer à l'amour maternel toutes les actions et les paroles d'une mère, relatives à son enfant ? Et cependant, écoutez cette petite histoire, où j'ai été singulièrement mystifié par l'illusion la plus naturelle.

« Ma profession de peintre me pousse à regarder attentivement les visages, les physionomies, qui s'offrent dans ma route, et vous savez quelle jouissance nous tirons de cette faculté qui rend à nos yeux la vie plus vivante et plus significative que pour les autres hommes. Dans le quartier reculé que j'habite, et où de vastes espaces gazonnés séparent encore les bâtiments, j'observai souvent un enfant dont la physionomie ardente et espiègle, plus que toutes les autres, me séduisit tout d'abord. Il a posé plus d'une fois pour moi, et je l'ai transformé tantôt en petit bohémien, tantôt en

ange, tantôt en Amour mythologique. Je lui ai fait
porter le violon du vagabond, la Couronne d'Epines et
les Clous de la Passion, et la Torche d'Eros. Je pris
enfin à toute la drôlerie de ce gamin un plaisir si vif
que je priai un jour ses parents, des pauvres gens, de
vouloir bien me le céder, promettant de bien l'habiller,
de lui donner quelque argent et de ne pas lui imposer
d'autre peine que de nettoyer les pinceaux et de faire
mes commissions. Cet enfant, débarbouillé, devint
charmant, et la vie qu'il menait chez moi lui semblait
un paradis, comparativement à celle qu'il aurait subie
dans le taudis paternel. Seulement je dois dire que ce
petit bonhomme m'étonna quelquefois par des crises
singulières de tristesse précoce, et qu'il manifesta
bientôt un goût immodéré pour le sucre et les liqueurs;
si bien qu'un jour où je constatai que, malgré mes nombreux avertissements, il avait encore commis un nouveau larcin de ce genre, je le menaçai de le renvoyer à
ses parents. Puis je sortis, et mes affaires me retinrent
assez longtemps hors de chez moi.

« Quels ne furent pas mon horreur et mon étonnement quand, rentrant à la maison, le premier objet qui
frappa mes regards fut mon petit bonhomme, l'espiègle compagnon de ma vie, pendu au panneau de
cette armoire! Ses pieds touchaient presque le plancher;
une chaise, qu'il avait sans doute repoussée du pied,
était renversée à côté de lui; sa tête était penchée
convulsivement sur une épaule; son visage, boursou-
flé, et ses yeux, tout grands ouverts avec une fixité
effrayante, me causèrent d'abord l'illusion de la vie. Le
dépendre n'était pas une besogne aussi facile que vous
le pouvez croire. Il était déjà fort roide, et j'avais une
répugnance inexplicable à le faire brusquement tomber
sur le sol. Il fallait le soutenir tout entier avec un bras,
et, avec la main de l'autre bras, couper la corde. Mais
cela fait, tout n'était pas fini; le petit monstre s'était
servi d'une ficelle fort mince qui était entrée profondément dans les chairs, et il fallait maintenant, avec de
minces ciseaux, chercher la corde entre les deux bourre-
lets de l'enflure, pour lui dégager le cou.

« J'ai négligé de vous dire que j'avais vivement

appelé au secours ; mais tous mes voisins avaient refusé
de me venir en aide, fidèles en cela aux habitudes de
l'homme civilisé, qui ne veut jamais, je ne sais pourquoi, se mêler des affaires d'un pendu. Enfin vint un
médecin qui déclara que l'enfant était mort depuis
plusieurs heures. Quand, plus tard, nous eûmes à le
déshabiller pour l'ensevelissement, la rigidité cadavé-
rique était telle que, désespérant de fléchir les membres,
nous dûmes lacérer et couper les vêtements pour les
lui enlever.

« Le commissaire, à qui, naturellement, je dus
déclarer l'accident, me regarda de travers, et me dit :
« Voilà qui est louche ! » mû sans doute par un désir
invétéré et une habitude d'état de faire peur, à tout
hasard, aux innocents comme aux coupables.

« Restait une tâche suprême à accomplir, dont la
seule pensée me causait une angoisse terrible : il fallait
avertir les parents. Mes pieds refusaient de m'y
conduire. Enfin j'eus ce courage. Mais, à mon grand
étonnement, la mère fut impassible, pas une larme ne
suinta du coin de son œil. J'attribuai cette étrangeté à
l'horreur même qu'elle devait éprouver, et je me sou-
vins de la sentence connue : « Les douleurs les plus
terribles sont les douleurs muettes. » Quant au père,
il se contenta de dire d'un air moitié abruti, moitié
rêveur : « Après tout, cela vaut peut-être mieux ainsi ;
il aurait toujours mal fini ! »

« Cependant le corps était étendu sur mon divan,
et, assisté d'une servante, je m'occupais des derniers
préparatifs, quand la mère entra dans mon atelier.
Elle voulait, disait-elle, voir le cadavre de son fils. Je
ne pouvais pas, en vérité, l'empêcher de s'enivrer de
son malheur et lui refuser cette suprême et sombre
consolation. Ensuite elle me pria de lui montrer l'endroit où son petit s'était pendu. « Oh ! non ! madam
— lui répondis-je, — cela vous ferait mal. » Et, comm
involontairement mes yeux se tournaient vers
funèbre armoire, je m'aperçus, avec un dégoût m
d'horreur et de colère, que le clou était resté fiché d
la paroi, avec un long bout de corde qui traînait enc
Je m'élançai vivement pour arracher ces derniers

tiges du malheur, et, comme j'allais les lancer au-
dehors par la fenêtre ouverte, la pauvre femme saisit
mon bras et me dit d'une voix irrésistible : « Oh!
monsieur! laissez-moi cela! je vous en prie! je vous
en supplie! » Son désespoir l'avait, sans doute, me
parut-il, tellement affolée qu'elle s'éprenait de tendresse maintenant pour ce qui avait servi d'instrument
à la mort de son fils, et le voulait garder comme une
horrible et chère relique. — Et elle s'empara du clou
et de la ficelle.

« Enfin! enfin! tout était accompli. Il ne me restait
plus qu'à me remettre au travail, plus vivement encore
que d'habitude, pour chasser peu à peu ce petit
cadavre qui hantait les replis de mon cerveau, et dont
le fantôme me fatiguait de ses grands yeux fixes. Mais
le lendemain je reçus un paquet de lettres : les unes,
des locataires de ma maison, quelques autres des
maisons voisines; l'une, du premier étage; l'autre,
du second; l'autre, du troisième, et ainsi de suite, les
unes en style demi-plaisant, comme cherchant à dégui-
ser sous un apparent badinage la sincérité de la
demande; les autres, lourdement effrontées et sans
orthographe, mais toutes tendant au même but, c'est-
à-dire à obtenir de moi un morceau de la funeste et
béatifique corde. Parmi les signataires il y avait, je
dois le dire, plus de femmes que d'hommes; mais
tous, croyez-le bien, n'appartenaient pas à la classe
infime et vulgaire. J'ai gardé ces lettres.

« Et alors, soudainement, une lueur se fit dans
mon cerveau, et je compris pourquoi la mère tenait
tant à m'arracher la ficelle et par quel commerce
elle entendait se consoler. »

XXXI

LES VOCATIONS

Dans un beau jardin où les rayons d'un soleil automnal semblaient s'attarder à plaisir, sous un ciel déjà verdâtre où des nuages d'or flottaient comme des continents en voyage, quatre beaux enfants, quatre garçons, las de jouer sans doute, causaient entre eux.

L'un disait : « Hier on m'a mené au théâtre. Dans des palais grands et tristes, au fond desquels on voit la mer et le ciel, des hommes et des femmes, sérieux et tristes aussi, mais bien plus beaux et bien mieux habillés que ceux que nous voyons partout, parlent avec une voix chantante. Ils se menacent, ils supplient, il se désolent, et ils appuient souvent leur main sur un poignard enfoncé dans leur ceinture. Ah! c'est bien beau! Les femmes sont bien plus belles et bien plus grandes que celles qui viennent nous voir à la maison, et, quoique avec leurs grands yeux creux et leurs joues enflammées elles aient l'air terrible, on ne peut pas s'empêcher de les aimer. On a peur, on a envie de pleurer, et cependant l'on est content... Et puis, ce qui est plus singulier, cela donne envie d'être habillé de même, de dire et de faire les mêmes choses, et de parler avec la même voix... »

L'un des quatre enfants, qui depuis quelques secondes n'écoutait plus le discours de son camarade et observait avec une fixité étonnante je ne sais quel point du ciel, dit tout à coup : « Regardez, regardez là-bas...! *Le* voyez-vous ? *Il* est assis sur ce petit nuage isolé, ce petit nuage couleur de feu, qui marche doucement. *Lui* aussi, on dirait qu'*il* nous regarde. »

« Mais qui donc ? » demandèrent les autres.

« Dieu! » répondit-il avec un accent parfait de conviction. « Ah! il est déjà bien loin; tout à l'heure, vous ne pourrez plus le voir. Sans doute il voyage, pour visiter tous les pays. Tenez, il va passer derrière cette rangée d'arbres qui est presque à l'horizon... et maintenant il descend derrière le clocher... Ah! on ne le voit plus! » Et l'enfant resta longtemps tourné du même côté, fixant sur la ligne qui sépare la terre du ciel des yeux où brillait une inexprimable expression d'extase et de regret.

« Est-il bête, celui-là, avec son bon Dieu, que lui seul peut apercevoir! » dit alors le troisième, dont toute la petite personne était marquée d'une vivacité et d'une vitalité singulières. « Moi, je vais vous raconter comment il m'est arrivé quelque chose qui ne vous est jamais arrivé, et qui est un peu plus intéressant que votre théâtre et vos nuages. — Il y a quelques jours, mes parents m'ont emmené en voyage avec eux, et, comme dans l'auberge où nous nous sommes arrêtés, il n'y avait pas assez de lits pour nous tous, il a été décidé que je dormirais dans le même lit que ma bonne. » — Il attira ses camarades plus près de lui, et parla d'une voix plus basse. — « Ça fait un singulier effet, allez, de n'être pas couché seul et d'être dans un lit avec sa bonne dans les ténèbres. Comme je ne dormais pas, je me suis amusé, pendant qu'elle dormait, à passer ma main sur ses bras, sur son cou et sur ses épaules. Elle a les bras et le cou bien plus gros que toutes les autres femmes, et la peau en est si douce, si douce, qu'on dirait du papier à lettres ou papier de soie. J'y avais tant de plaisir que j'aurais longtemps continué si je n'avais pas eu peur, peur de là réveiller d'abord, et puis encore peur de je ne sais quoi. Ensuite j'ai fourré ma tête dans ses cheveux qui pendaient dans son dos épais comme une crinière, et ils sentaient aussi bon, je vous assure, que les fleurs du jardin, à cette heure-ci. Essayez, quand vous pourrez, d'en faire autant que moi, et vous verrez! »

Le jeune auteur de cette prodigieuse révélation avait, en faisant son récit, les yeux écarquillés par une sorte de stupéfaction de ce qu'il éprouvait encore, et les rayons du soleil couchant, en glissant à travers les boucles rousses de sa chevelure ébouriffée, y allumaient comme une auréole sulfureuse de passion. Il était facile de deviner que celui-là ne perdrait pas sa vie à chercher la Divinité dans les nuées, et qu'il la trouverait fréquemment ailleurs.

Enfin le quatrième dit : « Vous savez que je ne m'amuse guère à la maison; on ne me mène jamais au spectacle; mon tuteur est trop avare; Dieu ne s'occupe pas de moi et de mon ennui, et je n'ai pas une belle bonne pour me dorloter. Il m'a souvent semblé que mon plaisir serait d'aller toujours droit devant moi, sans savoir où, sans que personne s'en inquiète, et de voir toujours des pays nouveaux. Je ne suis jamais bien nulle part, et je crois que toujours je serais mieux ailleurs que là où je suis. Eh bien! j'ai vu, à la dernière foire du village voisin, trois hommes qui vivent comme je voudrais vivre. Vous n'y avez pas fait attention, vous autres. Ils étaient grands, presque noirs et très fiers, quoique en guenilles, avec l'air de n'avoir besoin de personne. Leurs grands yeux sombres sont devenus tout à fait brillants pendant qu'ils faisaient de la musique; une musique si surprenante qu'elle donne envie tantôt de danser, tantôt de pleurer, ou de faire les deux à la fois, et qu'on deviendrait comme fou si on les écoutait trop longtemps. L'un, en traînant son archet sur son violon, semblait raconter un chagrin, et l'autre, en faisant sautiller son petit marteau sur les cordes d'un petit piano suspendu à son cou par une courroie, avait l'air de se moquer de la plainte de son voisin, tandis que le troisième choquait de temps à autre ses cymbales avec une violence extraordinaire. Ils étaient si contents d'eux-mêmes qu'ils ont continué à jouer leur musique de sauvages, même après que la foule s'est dispersée. Enfin ils ont ramassé leurs sous, ont chargé leur bagage sur leur dos, et sont partis. Moi, voulant savoir où ils demeuraient, je les ai suivis de loin, jusqu'au bord de la forêt, où j'ai compris seulement alors qu'ils ne demeuraient nulle part.

Alors l'un a dit : « Faut-il déployer la tente ? »

« Ma foi! non! » a répondu l'autre, « il fait une si belle nuit! »

Le troisième disait en comptant la recette : « Ces gens-là ne sentent pas la musique, et leurs femmes dansent comme des ours. Heureusement, avant un mois, nous serons en Autriche, où nous trouverons un peuple plus aimable. »

« Nous ferions peut-être mieux d'aller vers l'Espagne, car voici la saison qui s'avance; fuyons avant les pluies et ne mouillons que notre gosier », a dit un des deux autres.

« J'ai tout retenu, comme vous voyez. Ensuite ils ont bu chacun une tasse d'eau-de-vie et se sont endormis, le front tourné vers les étoiles. J'avais eu d'abord envie de les prier de m'emmener avec eux et de m'apprendre à jouer de leurs instruments; mais je n'ai pas osé, sans doute parce qu'il est toujours très difficile de se décider à n'importe quoi, et aussi parce que j'avais peur d'être rattrapé avant d'être hors de France. »

L'air peu intéressé des trois autres camarades me donna à penser que ce petit était déjà un *incompris*. Je le regardais attentivement; il y avait dans son œil et dans son front ce je ne sais quoi de précocement fatal qui éloigne généralement la sympathie, et qui, je ne sais pourquoi excitait la mienne, au point que j'eus un instant l'idée bizarre que je pouvais avoir un frère à moi-même inconnu.

Le soleil s'était couché. La nuit solennelle avait pris place. Les enfants se séparèrent, chacun allant, à son insu, selon les circonstances et les hasards, mûrir sa destinée, scandaliser ses proches et graviter vers la gloire ou vers le déshonneur.

XXXII

LE THYRSE

A FRANZ LISZT

Qu'est-ce qu'un thyrse ? Selon le sens moral et poétique, c'est un emblème sacerdotal dans la main des prêtres ou des prêtresses célébrant la divinité dont ils sont les interprètes et les serviteurs. Mais physiquement ce n'est qu'un bâton, un pur bâton, perche à houblon, tuteur de vigne, sec, dur et droit. Autour de ce bâton, dans des méandres capricieux, se jouent et folâtrent des tiges et des fleurs, celles-ci sinueuses et fuyardes, celles-là penchées comme des cloches ou des coupes renversées. Et une gloire étonnante jaillit de cette complexité de lignes et de couleurs, tendres ou éclatantes. Ne dirait-on pas que la ligne courbe et la spirale font leur cour à la ligne droite et dansent autour dans une muette adoration ? Ne dirait-on pas que toutes ces corolles délicates, tous ces calices, explosions de senteurs et de couleurs, exécutent un mystique fandango autour du bâton hiératique ? Et quel est, cependant, le mortel imprudent qui osera décider si les fleurs et les pampres ont été faits pour le bâton, ou si le bâton n'est que le prétexte pour montrer la beauté des pampres et des fleurs ? Le thyrse est la représentation de votre étonnante dualité, maître puissant et vénéré, cher Bacchant de la Beauté mystérieuse et passionnée. Jamais nymphe exaspérée par l'invincible Bacchus ne secoua son thyrse sur les têtes de ses compagnes affolées avec autant d'énergie et de caprice que vous agitez votre génie sur les cœurs de vos frères. — Le bâton, c'est votre volonté, droite, ferme et inébranlable ; les fleurs, c'est la promenade de votre

fantaisie autour de votre volonté; c'est l'élément
féminin exécutant autour du mâle ses prestigieuses
pirouettes. Ligne droite et ligne arabesque, intention
et expression, roideur de la volonté, sinuosité du
verbe, unité du but, variété des moyens, amalgame
tout-puissant et indivisible du génie, quel analyste
aura le détestable courage de vous diviser et de vous
séparer ?

Chez Liszt, à travers les brumes, par-delà les fleuves,
par-dessus les villes où les pianos chantent votre
gloire, où l'imprimerie traduit votre sagesse, en quelque
lieu que vous soyez, dans les splendeurs de la ville
éternelle ou dans les brumes des pays rêveurs que
console Cambrinus, improvisant des chants de délec-
tation ou d'ineffable douleur, ou confiant au papier
vos méditations abstruses, chantre de la Volupté et
de l'Angoisse éternelles, philosophe, poète et artiste,
je vous salue en l'immortalité!

XXXIII

ENIVREZ-VOUS

Il faut être toujours ivre. Tout est là : c'est l'unique question. Pour ne pas sentir l'horrible fardeau du Temps qui brise vos épaules et vous penche vers la terre, il faut vous enivrer sans trêve.

Mais de quoi ? De vin, de poésie ou de vertu, à votre guise. Mais enivrez-vous.

Et si quelquefois, sur les marches d'un palais, sur l'herbe verte d'un fossé, dans la solitude morne de votre chambre, vous vous réveillez, l'ivresse déjà diminuée ou disparue, demandez au vent, à la vague, à l'étoile, à l'oiseau, à l'horloge, à tout ce qui fuit, à tout ce qui gémit, à tout ce qui roule, à tout ce qui chante, à tout ce qui parle, demandez quelle heure il est ; et le vent, la vague, l'étoile, l'oiseau, l'horloge, vous répondront : « Il est l'heure de s'enivrer ! Pour n'être pas les esclaves martyrisés du Temps, enivrez-vous ; enivrez-vous sans cesse ! De vin, de poésie ou de vertu, à votre guise. »

XXXIV

DÉJÀ!

Cent fois déjà le soleil avait jailli, radieux ou attristé, de cette cuve immense de la mer dont les bords ne se laissent qu'à peine apercevoir; cent fois il s'était replongé, étincelant ou morose, dans son immense bain du soir. Depuis nombre de jours, nous pouvions contempler l'autre côté du firmament et déchiffrer l'alphabet céleste des antipodes. Et chacun des passagers gémissait et grognait. On eût dit que l'approche de la terre exaspérait leur souffrance. « Quand donc », disaient-ils, « cesserons-nous de dormir un sommeil secoué par la lame, troublé par un vent qui ronfle plus haut que nous ? Quand pourrons-nous digérer dans un fauteuil immobile ? »

Il y en avait qui pensaient à leur foyer, qui regrettaient leurs femmes infidèles et maussades, et leur progéniture criarde. Tous étaient si affolés par l'image de la terre absente qu'ils auraient, je crois, mangé de l'herbe avec plus d'enthousiasme que les bêtes.

Enfin un rivage fut signalé; et nous vîmes, en approchant, que c'était une terre magnifique, éblouissante. Il semblait que les musiques de la vie s'en détachaient en un vague murmure, et que de ces côtes, riches en verdures de toute sorte, s'exhalait, jusqu'à plusieurs lieues, une délicieuse odeur de fleurs et de fruits.

Aussitôt chacun fut joyeux, chacun abdiqua sa mauvaise humeur. Toutes les querelles furent oubliées, tous les torts réciproques pardonnés; les duels convenus furent rayés de la mémoire, et les rancunes s'envolèrent comme des fumées.

Moi seul j'étais triste, inconcevablement triste. Semblable à un prêtre à qui on arracherait sa divinité, je ne pouvais, sans une navrante amertume, me détacher de cette mer si monstrueusement séduisante, de cette mer si infiniment variée dans son effrayante simplicité, et qui semble contenir en elle et représenter par ses jeux, ses allures, ses colères et ses sourires, les humeurs, les agonies et les extases de toutes les âmes qui ont vécu, qui vivent et qui vivront!

En disant adieu à cette incomparable beauté, je me sentais abattu jusqu'à la mort; et c'est pourquoi, quand chacun de mes compagnons dit : « Enfin! » je ne pus crier que : « *Déjà!* »

Cependant c'était la terre, la terre avec ses bruits, ses passions, ses commodités, ses fêtes; c'était une terre riche et magnifique, pleine de promesses, qui nous envoyait un mystérieux parfum de rose et de musc, et d'où les musiques de la vie nous arrivaient en un amoureux murmure.

XXXV

LES FENÊTRES

Celui qui regarde du dehors à travers une fenêtre ouverte ne voit jamais autant de choses que celui qui regarde une fenêtre fermée. Il n'est pas d'objet plus profond, plus mystérieux, plus fécond, plus ténébreux, plus éblouissant qu'une fenêtre éclairée d'une chandelle. Ce qu'on peut voir au soleil est toujours moins intéressant que ce qui se passe derrière une vitre. Dans ce trou noir ou lumineux vit la vie, rêve la vie, souffre la vie.

Par-delà des vagues de toits, j'aperçois une femme mûre, ridée déjà, pauvre, toujours penchée sur quelque chose, et qui ne sort jamais. Avec son visage, avec son vêtement, avec son geste, avec presque rien, j'ai refait l'histoire de cette femme, ou plutôt sa légende, et quelquefois je me la raconte à moi-même en pleurant.

Si c'eût été un pauvre vieil homme, j'aurais refait la sienne tout aussi aisément.

Et je me couche, fier d'avoir vécu et souffert dans d'autres que moi-même.

Peut-être me direz-vous : « Es-tu sûr que cette légende soit la vraie ? » Qu'importe ce que peut être la réalité placée hors de moi, si elle m'a aidé à vivre, à sentir que je suis et ce que je suis ?

XXXVI

LE DÉSIR DE PEINDRE

Malheureux peut être l'homme, mais heureux l'artiste que le désir déchire! ǀ

Je brûle de peindre celle qui m'est apparue si rarement et qui a fui si vite, comme une belle chose regrettable, derrière le voyageur emporté dans la nuit. Comme il y a longtemps déjà qu'elle a disparu!

Elle est belle, et plus que belle; elle est surprenante. En elle le noir abonde : et tout ce qu'elle inspire est nocturne et profond. Ses yeux sont deux antres où scintille vaguement le mystère, et son regard illumine comme l'éclair : c'est une explosion dans les ténèbres.

Je la comparerais à un soleil noir si l'on pouvait concevoir un astre noir versant la lumière et le bonheur. Mais elle fait plus volontiers penser à la lune, qui sans doute l'a marquée de sa redoutable influence; non pas la lune blanche des idylles, qui ressemble à une froide mariée, mais la lune sinistre et enivrante, suspendue au fond d'une nuit orageuse et bousculée par les nuées qui courent; non pas la lune paisible et discrète visitant le sommeil des hommes purs, mais la lune arrachée du ciel, vaincue et révoltée, que les Sorcières thessaliennes contraignent durement à danser sur l'herbe terrifiée!

Dans son petit front habitent la volonté tenace et l'amour de la proie. Cependant, au bas de ce visage inquiétant, où des narines mobiles aspirent l'inconnu et l'impossible, éclate, avec une grâce inexprimable, le rire d'une grande bouche, rouge et blanche, et délicieuse, qui fait rêver au miracle d'une superbe fleur éclose dans un terrain volcanique.

Il y a des femmes qui inspirent l'envie de les vaincre et de jouir d'elles; mais celle-ci donne le désir de mourir lentement sous son regard.

XXXVII

LES BIENFAITS DE LA LUNE

La Lune, qui est le caprice même, regarda par la fenêtre pendant que tu dormais dans ton berceau, et se dit : « Cette enfant me plaît. »

Et elle descendit moelleusement son escalier de nuages et passa sans bruit à travers les vitres. Puis elle s'étendit sur toi avec la tendresse souple d'une mère, et elle déposa ses couleurs sur ta face. Tes prunelles en sont restées vertes, et tes joues extraordinairement pâles. C'est en contemplant cette visiteuse que tes yeux se sont si bizarrement agrandis; et elle t'a si tendrement scrré à la gorge que tu en as gardé pour toujours l'envie de pleurer.

Cependant, dans l'expansion de sa joie, la Lune remplissait toute la chambre comme une atmosphère phosphorique, comme un poisson lumineux; et toute cette lumière vivante pensait et disait : « Tu subiras éternellement l'influence de mon baiser. Tu seras belle à ma manière. Tu aimeras ce que j'aime et ce qui m'aime : l'eau, les nuages, le silence et la nuit; la mer immense et verte; l'eau informe et multiforme; le lieu où tu ne seras pas; l'amant que tu ne connaîtras pas; les fleurs monstrueuses; les parfums qui font délirer; les chats qui se pâment sur les pianos et qui gémissent comme les femmes, d'une voix rauque et douce!

« Et tu seras aimée de mes amants, courtisée par mes courtisans. Tu seras la reine des hommes aux yeux verts dont j'ai serré aussi la gorge dans mes caresses nocturnes; de ceux-là qui aiment la mer, la mer immense, tumultueuse et verte, l'eau informe et multiforme, le lieu où ils ne sont pas, la femme qu'ils ne connaissent pas, les fleurs sinistres qui ressemblent aux encensoirs d'une religion inconnue, les parfums qui troublent la volonté, et les animaux sauvages et voluptueux qui sont les emblèmes de leur folie. »

Et c'est pour cela, maudite chère enfant gâtée, que je suis maintenant couché à tes pieds, cherchant dans toute ta personne le reflet de la redoutable Divinité, de la fatidique marraine, de la nourrice empoisonneuse de tous les *lunatiques*.

XXXVIII

LAQUELLE EST LA VRAIE ?

J'ai connu une certaine Bénédicta, qui remplissait l'atmosphère d'idéal, et dont les yeux répandaient le désir de la grandeur, de la beauté, de la gloire et de tout ce qui fait croire à l'immortalité.

Mais cette fille miraculeuse était trop belle pour vivre longtemps; aussi est-elle morte quelques jours après que j'eus fait sa connaissance, et c'est moi-même qui l'ai enterrée, un jour que le printemps agitait son encensoir jusque dans les cimetières. C'est moi qui l'ai enterrée, bien close dans une bière d'un bois parfumé et incorruptible comme les coffres de l'Inde.

Et, comme mes yeux restaient fichés sur le lieu où était enfoui mon trésor, je vis subitement une petite personne qui ressemblait singulièrement à la défunte, et qui, piétinant sur la terre fraîche avec une violence hystérique et bizarre, disait en éclatant de rire : « C'est moi, la vraie Bénédicta! C'est moi, une fameuse canaille! Et pour la punition de ta folie et de ton aveuglement, tu m'aimeras telle que je suis! »

Mais moi, furieux, j'ai répondu : « Non! non! non! » Et pour mieux accentuer mon refus, j'ai frappé si violemment la terre du pied que ma jambe s'est enfoncée jusqu'au genou dans la sépulture récente, et que, comme un loup pris au piège, je reste attaché, pour toujours peut-être, à la fosse de l'idéal.

XXXIX

UN CHEVAL DE RACE

Elle est bien laide. Elle est délicieuse pourtant!

Le Temps et l'Amour l'ont marquée de leurs griffes et lui ont cruellement enseigné ce que chaque minute et chaque baiser emportent de jeunesse et de fraîcheur.

Elle est vraiment laide; elle est fourmi, araignée, si vous voulez, squelette même; mais aussi elle est breuvage, magistère, sorcellerie! en somme, elle est exquise.

Le Temps n'a pu rompre l'harmonie pétillante de sa démarche ni l'élégance indestructible de son armature. L'Amour n'a pas altéré la suavité de son haleine d'enfant; et le Temps n'a rien arraché de son abondante crinière d'où s'exhale en fauves parfums toute la vitalité endiablée du Midi français : Nîmes, Aix, Arles, Avignon, Narbonne, Toulouse, villes bénies du soleil, amoureuses et charmantes!

Le Temps et l'Amour l'ont vainement mordue à belles dents; ils n'ont rien diminué du charme vague, mais éternel, de sa poitrine garçonnière.

Usée peut-être, mais non fatiguée, et toujours héroïque, elle fait penser à ces chevaux de grande race que l'œil du véritable amateur reconnaît, même attelés à un carrosse de louage ou à un lourd chariot.

Et puis elle est si douce et si fervente! Elle aime comme on aime en automne; on dirait que les approches de l'hiver allument dans son cœur un feu nouveau, et la servilité de sa tendresse n'a jamais rien de fatigant.

XL

LE MIROIR

Un homme épouvantable entre et se regarde dans la glace.

« — Pourquoi vous regardez-vous au miroir, puisque vous ne pouvez vous y voir qu'avec déplaisir ? »

L'homme épouvantable me répond : « — Monsieur, d'après les immortels principes de 89, tous les hommes sont égaux en droits; donc je possède le droit de me mirer; avec plaisir ou déplaisir, cela ne regarde que ma conscience. »

Au nom du bon sens, j'avais sans doute raison; mais, au point de vue de la loi, il n'avait pas tort.

XLI

LE PORT

Un port est un séjour charmant pour une âme fatiguée des luttes de la vie. L'ampleur du ciel, l'archi-
tecture mobile des nuages, les colorations changeantes
de la mer, le scintillement des phares, sont un prisme
merveilleusement propre à amuser les yeux sans
jamais les lasser. Les formes élancées des navires, au
gréement compliqué, auxquels la houle imprime des
oscillations harmonieuses, servent à entretenir dans
l'âme le goût du rythme et de la beauté. Et puis, surtout,
il y a une sorte de plaisir mystérieux et aristocratique
pour celui qui n'a plus ni curiosité ni ambition, à
contempler, couché dans le belvédère ou accoudé sur
le môle, tous ces mouvements de ceux qui partent et
de ceux qui reviennent, de ceux qui ont encore la force
de vouloir, le désir de voyager ou de s'enrichir.

XLII

Dans un boudoir d'hommes, c'est-à-dire dans un fumoir attenant à un élégant tripot, quatre hommes fumaient et buvaient. Ils n'étaient précisément ni jeunes ni vieux, ni beaux ni laids; mais, vieux ou jeunes, ils portaient cette distinction non méconnaissable des vétérans de la joie, cet indescriptible je ne sais quoi, cette tristesse froide et railleuse qui dit clairement : « Nous avons fortement vécu, et nous cherchons ce que nous pourrions aimer et estimer. »

L'un d'eux jeta la causerie sur le sujet des femmes. Il eût été plus philosophique de n'en pas parler du tout; mais il y a des gens d'esprit qui, après boire, ne méprisent pas les conversations banales. On écoute alors celui qui parle, comme on écouterait de la musique de danse.

« Tous les hommes, disait celui-ci, ont eu l'âge de Chérubin : c'est l'époque où, faute de dryades, on embrasse, sans dégoût, le tronc des chênes. C'est le premier degré de l'amour. Au second degré, on commence à choisir. Pouvoir délibérer, c'est déjà une décadence. C'est alors qu'on recherche décidément la beauté. Pour moi, messieurs, je me fais gloire d'être arrivé, depuis longtemps, à l'époque climatérique du troisième degré où la beauté elle-même ne suffit plus, si elle n'est assaisonnée par le parfum, la parure, et cætera. J'avouerai même que j'aspire quelquefois, comme à un bonheur inconnu, à un certain quatrième degré qui doit marquer le calme absolu. Mais, durant toute ma vie, excepté à l'âge de Chérubin, j'ai été

plus sensible que tout autre à l'énervante sottise, à
l'irritante médiocrité des femmes. Ce que j'aime surtout dans les animaux, c'est leur candeur. Jugez donc
combien j'ai dû souffrir par ma dernière maîtresse.

« C'était la bâtarde d'un prince. Belle, cela va
sans dire; sans cela, pourquoi l'aurais-je prise ? Mais
elle gâtait cette grande qualité par une ambition mal-
séante et difforme. C'était une femme qui voulait
toujours faire l'homme. « Vous n'êtes pas un homme!
« Ah! si j'étais un homme! De nous deux, c'est moi
« qui suis l'homme! » Tels étaient les insupportables
refrains qui sortaient de cette bouche d'où je n'aurais
voulu voir s'envoler que des chansons. A propos d'un
livre, d'un poème, d'un opéra pour lequel je laissais
échapper mon admiration : « Vous croyez peut-être
« que cela est très fort ? disait-elle aussitôt; est-ce que
« vous vous connaissez en force ? » et elle argumen-
tait.

« Un beau jour elle s'est mise à la chimie; de sorte
qu'entre ma bouche et la sienne je trouvai désormais
un masque de verre. Avec tout cela, fort bégueule.
Si parfois je la bousculais par un geste un peu trop
amoureux, elle se convulsait comme une sensitive
violée...

— Comment cela a-t-il fini ? dit l'un des trois autres.
Je ne vous savais pas si patient.

— Dieu, reprit-il, mit le remède dans le mal. Un
jour je trouvai cette Minerve, affamée de force idéale,
en tête à tête avec mon domestique, et dans une situation qui m'obligea à me retirer discrètement pour ne
pas les faire rougir. Le soir je les congédiai tous
les deux, en leur payant les arrérages de leurs gages.

— Pour moi, reprit l'interrupteur, je n'ai à me
plaindre que de moi-même. Le bonheur est venu
habiter chez moi, et je ne l'ai pas reconnu. La destinée
m'avait, en ces derniers temps, octroyé la jouissance
d'une femme qui était bien la plus douce, la plus sou-
mise et la plus dévouée des créatures, et toujours
prête! et sans enthousiasme! « Je le veux bien, puisque
« cela vous est agréable. » C'était sa réponse ordinaire. Vous donneriez la bastonnade à ce mur ou à

ce canapé, que vous en tireriez plus de soupirs que
n'en tiraient du sein de ma maîtresse les élans de
l'amour le plus forcené. Après un an de vie commune,
elle m'avoua qu'elle n'avait jamais connu le plaisir.
Je me dégoûtai de ce duel inégal, et cette fille incomparable se maria. J'eus plus tard la fantaisie de la
revoir, et elle me dit, en me montrant six beaux enfants : « Eh bien! mon cher ami, l'épouse est encore
aussi *vierge* que l'était votre maîtresse. » Rien n'était
changé dans cette personne. Quelquefois je la regrette :
j'aurais dû l'épouser. »

Les autres se mirent à rire, et un troisième dit à
son tour :

« Messieurs, j'ai connu des jouissances que vous
avez peut-être négligées. Je veux parler du comique
dans l'amour, et d'un comique qui n'exclut pas l'admiration. J'ai plus admiré ma dernière maîtresse que
vous n'avez pu, je crois, haïr ou aimer les vôtres.
Et tout le monde l'admirait autant que moi. Quand
nous entrions dans un restaurant, au bout de
quelques minutes, chacun oubliait de manger pour
la contempler. Les garçons eux-mêmes et la dame du
comptoir ressentaient cette extase contagieuse jusqu'à
oublier leurs devoirs. Bref, j'ai vécu quelque temps en
tête à tête avec un *phénomène* vivant. Elle mangeait,
mâchait, broyait, dévorait, engloutissait, mais avec
l'air le plus léger et le plus insouciant du monde.
Elle m'a tenu ainsi longtemps en extase. Elle avait
une manière douce, rêveuse, anglaise et romanesque
de dire : « J'ai faim! » Et elle répétait ces mots jour
et nuit en montrant les plus jolies dents du monde, qui
vous eussent attendris et égayés à la fois. — J'aurais
pu faire ma fortune en la montrant dans les foires
comme *monstre polyphage*. Je la nourrissais bien; et
cependant elle m'a quitté... — Pour un fournisseur
aux vivres, sans doute ? — Quelque chose d'approchant, une espèce d'employé dans l'intendance qui,
par quelque tour de bâton à lui connu, fournit peut-
être à cette pauvre enfant la ration de plusieurs soldats.
C'est du moins ce que j'ai supposé.

— Moi, dit le quatrième, j'ai enduré des souffrances

atroces par le contraire de ce qu'on reproche en général à l'égoïsme femelle. Je vous trouve mal venus, trop fortunés mortels, à vous plaindre des imperfections de vos maîtresses! »

Cela fut dit d'un ton fort sérieux, par un homme d'un aspect doux et posé, d'une physionomie presque cléricale, malheureusement illuminée par des yeux d'un gris clair, de ces yeux dont le regard dit : « Je veux! » ou : « Il faut! » ou bien : « Je ne pardonne jamais! »

« Si, nerveux comme je vous connais, vous, G..., lâches et légers comme vous êtes, vous deux K... et J..., vous aviez été accouplés à une certaine femme de ma connaissance, ou vous vous seriez enfuis, ou vous seriez morts. Moi, j'ai survécu, comme vous voyez, Figurez-vous une personne incapable de commettre une erreur de sentiment ou de calcul; figurez-vous une sérénité désolante de caractère; un dévouement sans comédie et sans emphase; une douceur sans faiblesse; une énergie sans violence. L'histoire de mon amour ressemble à un interminable voyage sur une surface pure et polie comme un miroir, vertigineusement monotone, qui aurait réfléchi tous mes sentiments et mes gestes avec l'exactitude ironique de ma propre conscience, de sorte que je ne pouvais pas me permettre un geste ou un sentiment déraisonnable sans apercevoir immédiatement le reproche muet de mon inséparable spectre. L'amour m'apparaissait comme une tutelle. Que de sottises elle m'a empêché de faire, que je regrette de n'avoir pas commises! Que de dettes payées malgré moi! Elle me privait de tous les bénéfices que j'aurais pu tirer de ma folie personnelle. Avec une froide er infranchissable règle, elle barrait tous mes caprices. Pour comble d'horreur, elle n'exigeait pas de reconnaissance, le danger passé. Combien de fois ne me suis-je pas retenu de lui sauter à la gorge, en lui criant : « Sois donc imparfaite, misérable! afin que je puisse t'aimer sans malaise et sans colère! » Pendant plusieurs années, je l'ai admirée, le cœur plein de haine. Enfin, ce n'est pas moi qui en suis mort!

— Ah! firent les autres, elle est donc morte ?

— Oui, cela ne pouvait continuer ainsi. L'amour était devenu pour moi un cauchemar accablant. Vaincre ou mourir, comme dit la Politique, telle était l'alternative que m'imposait la destinée! Un soir, dans un bois... au bord d'une mare... après une mélancolique promenade où ses yeux, à elle, réfléchissaient la douceur du ciel, et où mon cœur, à moi, était crispé comme l'enfer...

— Quoi!

— Comment!

— Que voulez-vous dire ?

— C'était inévitable. J'ai trop le sentiment de l'équité pour battre, outrager ou congédier un serviteur irréprochable. Mais il fallait accorder ce sentiment avec l'horreur que cet être m'inspirait; me débarrasser de cet être sans lui manquer de respect. Que vouliez-vous que je fisse d'elle, *puisqu'elle était parfaite ?* »

Les trois autres compagnons regardèrent celui-ci avec un regard vague et légèrement hébété, comme feignant de ne pas comprendre et comme avouant implicitement qu'ils ne se sentaient pas, quant à eux, capables d'une action aussi rigoureuse, quoique suffisamment expliquée d'ailleurs.

Ensuite on fit apporter de nouvelles bouteilles, pour tuer le temps qui a la vie si dure, et accélérer la vie qui coule si lentement.

XLIII

LE GALANT TIREUR

Comme la voiture traversait le bois, il la fit arrêter dans le voisinage d'un tir, disant qu'il lui serait agréable de tirer quelques balles pour *tuer* le Temps. Tuer ce monstre-là, n'est-ce pas l'occupation la plus ordinaire et la plus légitime de chacun ? — Et il offrit galamment la main à sa chère, délicieuse et exécrable femme, à cette mystérieuse femme à laquelle il doit tant de plaisirs, tant de douleurs, et peut-être aussi une grande partie de son génie.

Plusieurs balles frappèrent loin du but proposé; l'une d'elles s'enfonça même dans le plafond; et comme la charmante créature riait follement, se moquant de la maladresse de son époux, celui-ci se tourna brusquement vers elle, et lui dit : « Observez cette poupée, là-bas, à droite, qui porte le nez en l'air et qui a la mine si hautaine. Eh bien! cher ange, *je me figure que c'est vous.* » Et il ferma les yeux, et il lâcha la détente. La poupée fut nettement décapitée.

Alors s'inclinant vers sa chère, sa délicieuse, son exécrable femme, son inévitable et impitoyable Muse, et lui baisant respectueusement la main, il ajouta : « Ah! mon cher ange, combien je vous remercie de mon adresse! »

XLIV

LA SOUPE ET LES NUAGES

Ma petite folle bien-aimée me donnait à dîner, et et par la fenêtre ouverte de la salle à manger je contemplais les mouvantes architectures que Dieu fait avec les vapeurs, les merveilleuses constructions de l'impalpable. Et je me disais, à travers ma contemplation : « — Toutes ces fantasmagories sont presque aussi belles que les yeux de ma belle bien-aimée, la petite folle monstrueuse aux yeux verts. »

Et tout à coup je reçus un violent coup de poing dans le dos, et j'entendis une voix rauque et charmante, une voix hystérique et comme enrouée par l'eau-de-vie, la voix de ma chère petite bien-aimée, qui disait : « — Allez-vous bientôt manger votre soupe, s... b... de marchand de nuages ? »

XLV

LE TIR ET LE CIMETIÈRE

— *A la vue du cimetière, Estaminet.* — « Singulière
enseigne, — se dit notre promeneur, — mais bien
faite pour donner soif! A coup sûr, le maître de ce
cabaret sait apprécier Horace et les poètes élèves
d'Epicure. Peut-être même connaît-il le raffinement
profond des anciens Egyptiens, pour qui il n'y avait
pas de bon festin sans squelette, ou sans un emblème
quelconque de la brièveté de la vie. »

Et il entra, but un verre de bière en face des tombes,
et fuma lentement un cigare. Puis la fantaisie le prit
de descendre dans ce cimetière, dont l'herbe était
si haute et si invitante, et où régnait un si riche soleil.

En effet, la lumière et la chaleur y faisaient rage,
et l'on eût dit que le soleil ivre se vautrait tout de
son long sur un tapis de fleurs magnifiques engraissées
par la destruction. Un immense bruissement de vie
remplissait l'air, — la vie des infiniment petits, —
coupé à intervalles réguliers par la crépitation des
coups de feu d'un tir voisin, qui éclataient comme
comme l'explosion des bouchons de champagne dans
le bourdonnement d'une symphonie en sourdine.

Alors, sous le soleil qui lui chauffait le cerveau et dans
l'atmosphère des ardents parfums de la Mort, il entendit
une voix chuchoter sous la tombe où il s'était assis.
Et cette voix disait : « Maudites soient vos cibles et
vos carabines, turbulents vivants, qui vous souciez si
peu des défunts et de leur divin repos! Maudites
soient vos ambitions, maudits soient vos calculs,
mortels impatients, qui venez étudier l'art de tuer

auprès du sanctuaire de la Mort! Si vous saviez comme
le prix est facile à gagner, comme le but est facile à
toucher, et combien tout est néant, excepté la Mort,
vous ne vous fatigueriez pas tant, laborieux vivants,
et vous troubleriez moins souvent le sommeil de ceux
qui depuis longtemps ont mis dans le But, dans le seul
vrai but de la détestable vie! »

XLVI

PERTE D'AURÉOLE

« Eh! quoi! vous ici, mon cher? Vous, dans un mauvais lieu! vous, le buveur de quintessences! vous, le mangeur d'ambroisie! En vérité, il y a de quoi me surprendre.

— Mon cher, vous connaissez ma terreur des chevaux et des voitures. Tout à l'heure, comme je traversais le boulevard, en grande hâte, et que je sautillais dans la boue, à travers ce chaos mouvant où la mort arrive au galop de tous les côtés à la fois, mon auréole, dans un mouvement brusque, a glissé de ma tête dans la fange du macadam. Je n'ai pas eu le courage de la ramasser. J'ai jugé moins désagréable de perdre mes insignes que de me faire rompre les os. Et puis, me suis-je dit, à quelque chose malheur est bon. Je puis maintenant me promener incognito, faire des actions basses, et me livrer à la crapule, comme les simples mortels. Et me voici, tout semblable à vous, comme vous voyez!

— Vous devriez au moins faire afficher cette auréole, ou la faire réclamer par le commissaire.

— Ma foi! non. Je me trouve bien ici. Vous seul, vous m'avez reconnu. D'ailleurs la dignité m'ennuie. Ensuite je pense avec joie que quelque mauvais poète la ramassera et s'en coiffera impudemment. Faire un heureux, quelle jouissance! et surtout un heureux qui me fera rire! Pensez à X, ou à Z! Hein! comme ce sera drôle! »

XLVII

Comme j'arrivais à l'extrémité du faubourg, sous les éclairs du gaz, je sentis un bras qui se coulait doucement sous le mien, et j'entendis une voix qui me disait à l'oreille : « Vous êtes médecin, monsieur ? »

Je regardai; c'était une grande fille, robuste, aux yeux très ouverts, légèrement fardée, les cheveux flottant au vent avec les brides de son bonnet.

« — Non; je ne suis pas médecin. Laissez-moi passer. — Oh! si! vous êtes médecin. Je le vois bien. Venez chez moi. Vous serez bien content de moi, allez! — Sans doute, j'irai vous voir, mais plus tard, *après le médecin*, que diable!... — Ah! ah! — fit-elle, toujours suspendue à mon bras, et en éclatant de rire, — vous êtes un médecin farceur, j'en ai connu plusieurs dans ce genre-là. Venez. »

J'aime passionnément le mystère, parce que j'ai toujours l'espoir de le débrouiller. Je me laissai donc entraîner par cette compagne, ou plutôt par cette énigme inespérée.

J'omets la description du taudis; on peut la trouver dans plusieurs vieux poètes français bien connus. Seulement, détail non aperçu par Régnier, deux ou trois portraits de docteurs célèbres étaient suspendus aux murs.

Comme je fus dorloté! Grand feu, vin chaud, cigares; et, en m'offrant ces bonnes choses et en allumant elle-même un cigare, la bouffonne créature me disait : « Faites comme chez vous, mon ami, mettez-vous à l'aise. Ça vous rappellera l'hôpital et le bon temps de la jeunesse. — Ah çà! où donc avez-vous gagné ces cheveux blancs ? Vous n'étiez pas ainsi, il n'y a pas encore bien longtemps, quand vous étiez interne de L... Je me souviens que c'était vous qui l'assistiez dans les opérations graves. En voilà un homme qui aime couper, tailler et rogner! C'était vous qui lui tendiez les instruments, les fils et les éponges. — Et comme, l'opération faite, il disait fièrement, en regardant sa montre : « Cinq minutes, messieurs! » — Oh! moi, je vais partout. Je connais bien ces messieurs. »

Quelques instants plus tard me tutoyant, elle reprenait son antienne, et me disait : « Tu es médecin, n'est-ce pas, mon chat ? »

Cet inintelligible refrain me fit sauter sur mes jambes. « Non! criai-je furieux.

— Chirurgien, alors ?

— Non! non! à moins que ce ne soit pour te couper la tête! S... s... c... de s... m...!

— Attends, reprit-elle, tu vas voir. »

Et elle tira d'une armoire une liasse de papiers, qui n'était autre chose que la collection des portraits des médecins illustres de ce temps, lithographiés par Maurin, qu'on a pu voir étalée pendant plusieurs années sur le quai Voltaire.

« Tiens! le reconnais-tu celui-ci ?

— Oui! c'est X. Le nom est au bas d'ailleurs; mais je le connais personnellement.

— Je savais bien! Tiens! voilà Z., celui qui disait à son cours, en parlant de X. : « Ce monstre qui porte sur son visage la noirceur de son âme! » Tout cela, parce que l'autre n'était pas de son avis dans la même affaire! Comme on riait de ça à l'Ecole, dans le temps! Tu t'en souviens ? — Tiens, voilà K., celui qui dénonçait au gouvernement les insurgés qu'il soignait à son hôpital. C'était le temps des émeutes. Comment est-ce possible qu'un si bel homme ait si peu de cœur ? — Voici maintenant W., un fameux médecin anglais; je l'ai attrapé à son voyage à Paris. Il a l'air d'une demoiselle, n'est-ce pas ? »

Et, comme je touchais à un paquet ficelé, posé

aussi sur le guéridon : « Attends un peu, dit-elle;
— ça, c'est les internes, et ce paquet-ci, c'est les
externes. »

Et elle déploya en éventail une masse d'images pho-
tographiques, représentant des physionomies beaucoup plus jeunes.

« Quand nous nous reverrons, tu me donneras ton
portrait, n'est-ce pas, chéri ?

— Mais, lui dis-je, suivant à mon tour, moi aussi,
mon idée fixe, — pourquoi me crois-tu médecin ?

— C'est que tu es si gentil et si bon pour les femmes!

— Singulière logique! me dis-je à moi-même.

— Oh! je ne m'y trompe guère; j'en ai connu un
bon nombre. J'aime tant ces messieurs que, bien que
je ne sois pas malade, je vais quelquefois les voir,
rien que pour les voir. Il y en a qui me disent froide-
ment : « Vous n'êtes pas malade du tout! » Mais il
y en a d'autres qui me comprennent, parce que je
leur fais des mines.

— Et quand ils ne te comprennent pas... ?

— Dame! comme je les ai dérangés *inutilement*, je
laisse dix francs sur la cheminée. — C'est si bon et
si doux, ces hommes-là! — J'ai découvert à la Pitié
un petit interne, qui est joli comme un ange, et qui
est poli! et qui travaille, le pauvre garçon! Ses camarades m'ont dit qu'il n'avait pas le sou, parce que ses
parents sont des pauvres qui ne peuvent rien lui
envoyer. Cela m'a donné confiance. Après tout, je
suis assez belle femme, quoique pas trop jeune. Je
lui ai dit : « Viens me voir, viens me voir souvent. Et,
avec moi, ne te gêne pas; je n'ai pas besoin d'argent. »
Mais tu comprends que je lui ai fait entendre ça par
une foule de façons; je ne le lui ai pas dit tout crûment;
j'avais si peur de l'humilier, ce cher enfant! — Eh bien!
croirais-tu que j'ai une drôle d'envie que je n'ose pas lui
dire ? — Je voudrais qu'il vînt me voir avec sa trousse
et son tablier, même avec un peu de sang dessus! »

Elle dit cela d'un air fort candide, comme un homme
sensible dirait à une comédienne qu'il aimerait : « Je
veux vous voir vêtue du costume que vous portiez
dans ce fameux rôle que vous avez créé. »

Moi, m'obstinant, je repris : « Peux-tu te souvenir de l'époque et de l'occasion où est née en toi cette passion si particulière ? »

Difficilement je me fis comprendre; enfin j'y parvins. Mais alors elle me répondit d'un air très triste, et même, autant que je peux me souvenir, en détournant les yeux : « Je ne sais pas... je ne me souviens pas. »

Quelles bizarreries ne trouve-t-on pas dans une grande ville, quand on sait se promener et regarder ? La vie fourmille de monstres innocents. — Seigneur, mon Dieu! vous, le Créateur, vous, le Maître; vous qui avez fait la Loi et la Liberté; vous, le souverain qui laissez faire, vous, le juge qui pardonnez; vous qui êtes plein de motifs et de causes, et qui avez peut-être mis dans mon esprit le goût de l'horreur pour convertir mon cœur, comme la guérison au bout d'une lame; Seigneur, ayez pitié, ayez pitié des fous et des folles! O créateur! peut-il exister des monstres aux yeux de Celui-là seul qui sait pourquoi ils existent, comment ils *se sont faits* et comment ils auraient pu ne pas se faire ?

XLVIII

ANY WHERE OUT OF THE WORLD

(N'IMPORTE OÙ HORS DU MONDE)

Cette vie est un hôpital où chaque malade est possédé du désir de changer de lit. Celui-ci voudrait souffrir en face du poêle, et celui-là croit qu'il guérirait à côté de la fenêtre.

Il me semble que je serais toujours bien là où je ne suis pas, et cette question de déménagement en est une que je discute sans cesse avec mon âme.

« Dis-moi, mon âme, pauvre âme refroidie, que penserais-tu d'habiter Lisbonne ? Il doit y faire chaud, et tu t'y ragaillardirais comme un lézard. Cette ville est au bord de l'eau; on dit qu'elle est bâtie en marbre, et que le peuple y a une telle haine du végétal qu'il arrache tous les arbres. Voilà un paysage selon ton goût; un paysage fait avec la lumière et le minéral, et le liquide pour les réfléchir ! »

Mon âme ne répond pas.

« Puisque tu aimes tant le repos, avec le spectacle du mouvement, veux-tu venir habiter la Hollande, cette terre béatifiante ? Peut-être te divertiras-tu dans cette contrée dont tu as souvent admiré l'image dans les musées. Que penserais-tu de Rotterdam, toi qui aimes les forêts de mâts, et les navires amarrés au pied des maisons ? »

Mon âme reste muette.

« Batavia te sourirait peut-être davantage ? Nous y trouverions d'ailleurs l'esprit de l'Europe marié à la beauté tropicale. »

Pas un mot. — Mon âme serait-elle morte ?

« En es-tu donc venue à ce point d'engourdis-

sement que tu ne te plaises que dans ton mal ? S'il
en est ainsi, fuyons vers les pays qui sont les analogies
de la Mort. — Je tiens notre affaire, pauvre âme ! Nous
ferons nos malles pour Tornéo. Allons plus loin encore,
à l'extrême bout de la Baltique ; encore plus loin de
la vie, si c'est possible ; installons-nous au pôle. Là le
soleil ne frise qu'obliquement la terre, et les lentes
alternatives de la lumière et de la nuit suppriment la
variété et augmentent la monotonie, cette moitié du
néant. Là, nous pourrons prendre de longs bains de
ténèbres, cependant que, pour nous divertir, les aurores
boréales nous enverront de temps en temps leurs
gerbes roses, comme des reflets d'un feu d'artifice de
l'Enfer ! »

Enfin, mon âme fait explosion, et sagement elle
me crie : « N'importe où ! n'importe où ! pourvu que
ce soit hors de ce monde ! »

XLIX

ASSOMMONS LES PAUVRES!

keb beat up

Pendant quinze jours je m'étais confiné dans ma chambre, et je m'étais entouré des livres à la mode dans ce temps-là (il y a seize ou dix-sept ans); je veux parler des livres où il est traité de l'art de rendre les peuples heureux, sages et riches, en vingt-quatre heures. J'avais donc digéré, — avalé, veux-je dire, — toutes les élucubrations de tous ces entrepreneurs de bonheurs public — de ceux qui conseillent à tous les pauvres de se faire esclaves, et de ceux qui leur persuadent qu'ils sont tous des rois détrônés. — On ne trouvera pas surprenant que je fusse alors dans un état d'esprit avoisinant le vertige ou la stupidité.

Il m'avait semblé seulement que je sentais, confiné au fond de mon intellect, le germe obscur d'une idée supérieure à toutes les formules de bonne femme dont j'avais récemment parcouru le dictionnaire. Mais ce n'était que l'idée d'une idée, quelque chose d'infiniment vague.

Et je sortis avec une grande soif. Car le goût passionné des mauvaises lectures engendre un besoin proportionnel du grand air et des rafraîchissants.

Comme j'allais entrer dans un cabaret, un mendiant me tendit son chapeau, avec un de ces regards inoubliables qui culbuteraient les trônes si l'esprit remuait la matière, et si l'œil d'un magnétiseur faisait mûrir les raisins.

En même temps, j'entendis une voix qui chuchotait à mon oreille, une voix que je reconnus bien;

c'était celle d'un bon Ange, ou d'un bon Démon,
qui m'accompagne partout. Puisque Socrate avait son
bon Démon, pourquoi n'aurais-je pas mon bon Ange,
et pourquoi n'aurais-je pas l'honneur, comme Socrate,
d'obtenir mon brevet de folie, signé du subtil Lélut
et du bien-avisé Baillarger ?

Il existe cette différence entre le Démon de Socrate
et le mien, que celui de Socrate ne se manifestait à
lui que pour défendre, avertir, empêcher, et que le
mien daigne conseiller, suggérer, persuader. Ce pauvre
Socrate n'avait qu'un Démon prohibiteur; le mien est
un grand affirmateur, le mien est un Démon d'action,
ou Démon de combat.

Or, sa voix me chuchotait ceci : « Celui-là seul est
l'égal d'un autre, qui le prouve, et celui-là seul est
digne de la liberté, qui sait la conquérir. »

Immédiatement, je sautai sur mon mendiant. D'un
seul coup de poing, je lui bouchai un œil, qui devint,
en une seconde, gros comme une balle. Je cassai un
de mes ongles à lui briser deux dents, et comme je ne
me sentais pas assez fort, étant né délicat et m'étant
peu exercé à la boxe, pour assommer rapidement ce
vieillard, je le saisis d'une main par le collet de son
habit, de l'autre, je l'empoignai à la gorge, et je me
mis à lui secouer vigoureusement la tête contre un
mur. Je dois avouer que j'avais préalablement inspecté
les environs d'un coup d'œil, et que j'avais vérifié que
dans cette banlieue déserte je me trouvais, pour un
assez long temps, hors de la portée de tout agent de
police.

Ayant ensuite, par un coup de pied lancé dans le
dos, assez énergique pour briser les omoplates, terrassé
ce sexagénaire affaibli, je me saisis d'une grosse
branche d'arbre qui traînait à terre, et je le battis
avec l'énergie obstinée des cuisiniers qui veulent
attendrir un beefsteak.

Tout à coup, — ô miracle! ô jouissance du philosophe qui vérifie l'excellence de sa théorie! — je vis
cette antique carcasse se retourner, se redresser avec
une énergie que je n'aurais jamais soupçonnée dans
une machine si singulièrement détraquée, et, avec un

regard de haine qui me parut de *bon augure*, le malan-
drin décrépit se jeta sur moi, me pocha les deux yeux,
me cassa quatre dents, et avec la même branche
d'arbre me battit dru comme plâtre. — Par mon énergique médication, je lui avais donc rendu l'orgueil et
la vie.

Alors, je lui fis force signes pour lui faire comprendre
que je considérais la discussion comme finie, et me
relevant avec la satisfaction d'un sophiste du Portique,
je lui dis : « Monsieur, *vous êtes mon égal!* veuillez
me faire l'honneur de partager avec moi ma bourse;
et souvenez-vous, si vous êtes réellement philanthrope,
qu'il faut appliquer à tous vos confrères, quand ils
vous demanderont l'aumône, la théorie que j'ai eu la
douleur d'essayer sur votre dos. »

Il m'a bien juré qu'il avait compris ma théorie, et
qu'il obéirait à mes conseils.

L

LES BONS CHIENS

A M. JOSEPH STEVENS

Je n'ai jamais rougi, même devant les jeunes écrivains de mon siècle, de mon admiration pour Buffon; mais aujourd'hui ce n'est pas l'âme de ce peintre de la nature pompeuse que j'appellerai à mon aide. Non.

Bien plus volontiers je m'adresserais à Sterne, et je lui dirais : « Descends du ciel, ou monte vers moi des champs Elyséens, pour m'inspirer en faveur des bons chiens, des pauvres chiens, un chant digne de toi, sentimental farceur, farceur incomparable! Reviens à califourchon sur ce fameux âne qui t'accompagne toujours dans la mémoire de la postérité; et surtout que cet âne n'oublie pas de porter, délicatement suspendu entre ses lèvres, son immortel macaron! »

Arrière la muse académique! Je n'ai que faire de cette vieille bégueule. J'invoque la muse familière, la citadine, la vivante, pour qu'elle m'aide à chanter les bons chiens, les pauvres chiens, les chiens crottés, ceux-là que chacun écarte, comme pestiférés et pouilleux, excepté le pauvre dont ils sont les associés, et le poète qui les regarde d'un œil fraternel.

Fi du chien bellâtre, de ce fat quadrupède, danois, king-charles, carlin ou gredin, si enchanté de lui-même qu'il s'élance indiscrètement dans les jambes où sur les genoux du visiteur, comme s'il était sûr de plaire, turbulent comme un enfant, sot comme une lorette, quelquefois hargneux et insolent comme un domestique! Fi surtout de ces serpents à quatre pattes, frissonnants et désœuvrés, qu'on nomme levrettes, et qui ne logent même pas dans leur museau pointu assez de flair pour suivre la piste d'un ami, ni dans leur tête aplatie assez d'intelligence pour jouer au domino !

A la niche, tous ces fatigants parasites !

Qu'ils retournent à leur niche soyeuse et capitonnée ! Je chante le chien crotté, le chien pauvre, le chien sans domicile, le chien flâneur, le chien saltimbanque, le chien dont l'instinct, comme celui du pauvre, du bohémien et de l'histrion, est merveilleusement aiguillonné par la nécessité, cette si bonne mère, cette vraie patronne des intelligences !

Je chante les chiens calamiteux, soit ceux qui errent, solitaires, dans les ravines sinueuses des immenses villes, soit ceux qui ont dit à l'homme abandonné, avec des yeux clignotants et spirituels : « Prends-moi avec toi, et de nos deux misères nous ferons peut-être une espèce de bonheur ! »

« *Où vont les chiens ?* » disait autrefois Nestor Roqueplan dans un immortel feuilleton qu'il a sans doute oublié, et dont moi seul, et Sainte-Beuve peut-être, nous nous souvenons encore aujourd'hui.

Où vont les chiens, dites-vous, hommes peu attentifs ? Ils vont à leurs affaires.

Rendez-vous d'affaires, rendez-vous d'amour. A travers la brume, à travers la neige, à travers la crotte, sous la canicule mordante, sous la pluie ruisselante, ils vont, ils viennent, ils trottent, ils passent sous les voitures, excités par les puces, la passion, le besoin ou le devoir. Comme nous, ils se sont levés de bon matin, et ils cherchent leur vie ou courent à leurs plaisirs.

Il y en a qui couchent dans une ruine de la banlieue et qui viennent, chaque jour, à heure fixe, réclamer la sportule à la porte d'une cuisine du Palais-Royal ; d'autres qui accourent, par troupes, de plus de cinq lieues, pour partager le repas que leur a préparé la charité de certaines pucelles sexagénaires, dont le cœur inoccupé s'est donné aux bêtes, parce que les hommes imbéciles n'en veulent plus.

D'autres qui, comme des nègres marron, affolés d'amour, quittent, à de certains jours, leur département pour venir à la ville, gambader pendant une

heure autour d'une belle chienne, un peu négligée
dans sa toilette, mais fière et reconnaissante.

Et ils sont tous très exacts, sans carnets, sans notes
et sans portefeuilles.

Connaissez-vous la paresseuse Belgique, et avez-vous
admiré comme moi tous ces chiens vigoureux attelés à
la charrette du boucher, de la laitière ou du boulanger,
et qui témoignent, par leurs aboiements triomphants,
du plaisir orgueilleux qu'ils éprouvent à rivaliser avec
les chevaux ?

En voici deux qui appartiennent à un ordre encore
plus civilisé! Permettez-moi de vous introduire dans
la chambre du saltimbanque absent. Un lit, en bois
peint, sans rideaux, des couvertures traînantes et
souillées de punaises, deux chaises de paille, un poêle
de fonte, un ou deux instruments de musique détra-
qués. Oh! le triste mobilier! Mais regardez, je vous
prie, ces deux personnages intelligents, habillés de
vêtements à la fois éraillés et somptueux, coiffés comme
des troubadours ou des militaires, qui surveillent, avec
une attention de sorciers, *l'œuvre sans nom* qui mitonne
sur le poêle allumé, et au centre de laquelle une longue
cuiller se dresse, plantée comme un de ces mâts aériens
qui annoncent que la maçonnerie est achevée.

N'est-il pas juste que de si zélés comédiens ne se
mettent pas en route sans avoir lesté leur estomac
d'une soupe puissante et solide ? Et ne pardonnerez-
vous pas un peu de sensualité à ces pauvres diables
qui ont à affronter tout le jour l'indifférence du public
et les injustices d'un directeur qui se fait la grosse
part et mange à lui seul plus de soupe que quatre comédiens ?

Que de fois j'ai contemplé, souriant et attendri,
tous ces philosophes à quatre pattes, esclaves complaisants, soumis ou dévoués, que le dictionnaire répu-
blicain pourrait aussi bien qualifier d'*officieux*, si la
république, trop occupée du *bonheur* des hommes,
avait le temps de ménager l'*honneur* des chiens!

Et que de fois j'ai pensé qu'il y avait peut-être
quelque part (qui sait, après tout ?), pour récompen-
ser tant de courage, tant de patience et de labeur, un

paradis spécial pour les bons chiens, les pauvres chiens, les chiens crottés et désolés. Swedenborg affirme bien qu'il y en a un pour les Turcs et un pour les Hollandais!

Les bergers de Virgile et de Théocrite attendaient, pour prix de leurs chants alternés, un bon fromage, une flûte du meilleur faiseur, ou une chèvre aux mamelles gonflées. Le poète qui a chanté les pauvres chiens a reçu pour récompense un beau gilet, d'une couleur à la fois riche et fanée, qui fait penser aux soleils d'automne, à la beauté des femmes mûres et aux étés de la Saint-Martin.

Aucun de ceux qui étaient présents dans la taverne de la rue Villa-Hermosa n'oubliera avec quelle pétulance le peintre s'est dépouillé de son gilet en faveur du poète, tant il a bien compris qu'il était bon et honnête de chanter les pauvres chiens.

Tel un magnifique tyran italien, du bon temps, offrait au divin Arétin soit une dague enrichie de pierreries, soit un manteau de cour, en échange d'un précieux sonnet ou d'un curieux poème satirique.

Et toutes les fois que le poète endosse le gilet du peintre, il est contraint de penser aux bons chiens, aux chiens philosophes, aux étés de la Saint-Martin et à la beauté des femmes très mûres.

ÉPILOGUE

Le cœur content, je suis monté sur la montagne
D'où l'on peut contempler la ville en son
[ampleur,
Hôpital, lupanars, purgatoire, enfer, bagne,

Où toute énormité fleurit comme une fleur.
5 Tu sais bien, ô Satan, patron de ma détresse,
Que je n'allais pas là pour répandre un vain
[pleur;

Mais comme un vieux paillard d'une vieille maî-
[tresse,
Je voulais m'enivrer de l'énorme catin
Dont le charme infernal me rajeunit sans cesse.

10 Que tu dormes encor dans les draps du matin,
Lourde, obscure, enrhumée, ou que tu te pavanes
Dans les voiles du soir passementés d'or fin,

Je t'aime, ô capitale infâme! Courtisanes
Et bandits, tels souvent vous offrez des plaisirs
15 Que ne comprennent pas les vulgaires profanes.

APPENDICE I

PROJETS DE POÈMES EN PROSE

POÈMES A FAIRE

CHOSES PARISIENNES

1. Le vieux petit athée
2. La cour des messageries
3. L'élégie des chapeaux
4. La poule noire
5. La fin du monde
6. Du haut des Buttes-Chaumont
7. Un mercredi des Cendres
8. Le poète et l'historien
9. Oreste et Pylade
10. Les deux ivrognes
11. Les aliénistes (une mauvaise consultation)
12. Le philosophe Carnaval
13. Les Reproches du portrait
14. Le poisson rouge
15. Vol de cavaliers
16. Chants d'église
17. En l'honneur de mon patron (Le billard) (4 novembre)
18. L'autel de Moloch
19. Pour cinq sols
20. Le séduisant croque-mort
21. La salle des martyrs
22. L'homme aux diamants
23. Le vieil entreteneur
24. Avant d'être mûr
25. L'orgue de Barbarie
26. La sourde-muette
27. La distribution de vivres
? Un lazzarone parisien

28. La statistique et le théâtre (l'enfer au théâtre)
29. La douce visiteuse
30. Le choléra à l'Opéra
31. Melancholia
32. L'auberge du Bocage
33. Nuits de noces
34. Autococu ou incestueux

ONEIROCRITIE

35. Symptômes de ruines
36. Mes débuts
37. Retour au Collège
38. Appartements inconnus
39. Paysages sans arbres
40. Condamnation à mort (faute oubliée par moi, mais subitement retrouvée depuis la condamnation)
41. La mort
42. La souricière
43. Fête dans une ville déserte (Paris, la nuit, à l'époque de la guerre d'Italie)
44. Le palais sur la mer
45. Les escaliers
46. Prisonnier dans un phare
47. Un désir

SYMBOLES ET MORALITÉS

48. L'ingratitude filiale
49. Une parole de Jean Hus
50. L'illusion sacrée
 ? Ni remords ni regret
51. Le sphinx Rococo
52. La grande prière
53. Les derniers chants de Lucain
54. La prière du Pharisien
       (Evangile, St Luc, XVIII, v. 10-14)
       Le chapelet
       N'offensons pas les mânes
       Le rêve de Socrate

MANUSCRITS DE LA COLLECTION GODOY

POÈMES EN PROSE.

Jean Hus (analyse de ses dernières paroles).
La grande veuve mélancolique devant le jardin de Musard.
Les pauvres devant un Café neuf.
Mes rêves.

> La Comédie en province.
> Le collège.
> La mort.
> Le vide. (Sentiment du vide infini.)
> Condamnation à mort pour une faute oubliée. (Sentiments d'effroi. Je ne discute pas l'accusation. Grande faute non expliquée dans le rêve.)
> Appartements inconnus, pauvres mais nobles et poétiques.

Le vieux Saltimbanque.
L'élégie des chapeaux. Fleurs dans le désert. Les vers de Thomas Gray.

POÈMES EN PROSE.

(Pour la guerre civile.)
Le canon tonne, les membres volent... des gémissements de victimes et des hurlements de sacrificateurs se font entendre... C'est l'Humanité qui cherche le bonheur...

POÈMES NOCTURNES.

La lettre d'un fat.
Mélange d'emphase sincère et d'emphase ironique.
Il y a des jours où je me sens si puissant que...
La Mappemonde.

APPENDICE II

PREMIÈRE VERSION DES DEUX PREMIERS POÈMES EN PROSE PUBLIÉS (1855)

LE CRÉPUSCULE DU SOIR

La tombée de la nuit a toujours été pour moi le signal d'une fête intérieure et comme la délivrance d'une angoisse. Dans les bois comme dans les rues d'une grande ville, l'assombrissement du jour et le pointillement des étoiles ou des lanternes éclairent mon esprit.

Mais j'ai eu deux amis que le crépuscule rendait malades. L'un méconnaissait alors tous les rapports d'amitié et de politesse, et brutalisait sauvagement le premier venu. Je l'ai vu jeter un excellent poulet à la tête d'un maître d'hôtel. La venue du soir gâtait les meilleures choses.

L'autre, à mesure que le jour baissait, devenait plus aigre, plus sombre, plus taquin. Indulgent pendant la journée, il était impitoyable le soir; — et ce n'était pas seulement sur autrui, mais sur lui-même que s'exerçait abondamment sa manie crépusculaire.

Le premier est mort fou, incapable de reconnaître sa maîtresse et son fils; le second porte en lui l'inquiétude d'une insatisfaction perpétuelle. L'ombre qui fait la lumière dans mon esprit fait la nuit dans le leur. — Et, bien qu'il ne soit pas rare de voir la même cause engendrer deux effets contraires, cela m'intrigue et m'étonne toujours.

LA SOLITUDE

Il me disait aussi, — le second, — que la solitude était mauvaise pour l'homme, et il me citait, je crois, des paroles des Pères de l'Eglise. Il est vrai que l'esprit de meurtre et de lubricité s'enflamme merveilleusement dans les solitudes; le démon fréquente les lieux arides.

Mais cette séduisante solitude n'est dangereuse que pour ces âmes oisives et divagantes qui ne sont pas gouvernées par une importante pensée active. Elle ne fut pas mauvaise pour Robinson Crusoë; elle le rendit religieux, brave, industrieux; elle le purifia, elle lui enseigna jusqu'où peut aller la force de l'individu.

N'est-ce pas La Bruyère qui a dit : « Ce grand malheur de ne pouvoir être seul... » ? Il en serait donc de la solitude comme du crépuscule; elle est bonne et elle est mauvaise, criminelle et salutaire, incendiaire et calmante, selon qu'on en use, et selon qu'on a usé de la vie.

Quant à la jouissance, — les plus belles agapes fraternelles, les plus magnifiques réunions d'hommes électrisés par un plaisir commun n'en donneront jamais de comparable à celle qu'éprouve le Solitaire, qui, d'un coup d'œil, a embrassé et compris toute la sublimité d'un paysage. Ce coup d'œil lui a conquis une propriété individuelle inaliénable.

POÈMES EN VERS CORRESPONDANT
A QUELQUES-UNS DES POÈMES EN PROSE

L'EXAMEN DE MINUIT

La pendule, sonnant minuit,
Ironiquement nous engage
A nous rappeler quel usage
Nous fîmes du jour qui s'enfuit :
5 — Aujourd'hui, date fatidique,
Vendredi, treize, nous avons,
Malgré tout ce que nous savons,
Mené le train d'un hérétique;

Nous avons blasphémé Jésus,
10 Des Dieux le plus incontestable!
Comme un parasite à la table
De quelque monstrueux Crésus,
Nous avons, pour plaire à la brute,
Digne vassale des Démons,
15 Insulté ce que nous aimons,
Et flatté ce qui nous rebute;

Contristé, servile bourreau,
Le faible qu'à tort on méprise;
Salué l'énorme Bêtise,
20 La Bêtise au front de taureau;
Baisé la stupide Matière
Avec grande dévotion,
Et de la putréfaction
Béni la blafarde lumière.

25   Enfin, nous avons, pour noyer
      Le vertige dans le délire,
      Nous, prêtre orgueilleux de la Lyre,
      Dont la gloire est de déployer
      L'ivresse des choses funèbres,
30   Bu sans soif et mangé sans faim!...
      — Vite soufflons la lampe, afin
      De nous cacher dans les ténèbres!

LES PETITES VIEILLES

A VICTOR HUGO

I

      Dans les plis sinueux des vieilles capitales,
      Où tout, même l'horreur, tourne aux enchan-
                                    [tements,
      Je guette, obéissant à mes humeurs fatales,
      Des êtres singuliers, décrépits et charmants.

5   Ces monstres disloqués furent jadis des femmes,
      Éponine ou Laïs! Monstres brisés, bossus
      Ou tordus, aimons-les! ce sont encor des âmes.
      Sous des jupons troués et sous de froids tissus

      Ils rampent, flagellés par les bises iniques,
10   Frémissant au fracas roulant des omnibus,
      Et serrant sur leur flanc, ainsi que des reliques,
      Un petit sac brodé de fleurs ou de rébus;

      Ils trottent, tout pareils à des marionnettes;
      Se traînent, comme font les animaux blessés,
15   Ou dansent, sans vouloir danser, pauvres sonnettes
      Où se pend un Démon sans pitié! Tout cassés

                                    [vrille,
      Qu'ils sont, ils ont des yeux perçants comme une

                                        [nuit;
      Luisants comme ces trous où l'eau dort dans la
      Ils ont les yeux divins de la petite fille
20   Qui s'étonne et qui rit à tout ce qui reluit.

                                        [vieilles
      — Avez-vous observé que maints cercueils de
      Sont presque aussi petits que celui d'un enfant ?
      La Mort savante met dans ces bières pareilles
      Un symbole d'un goût bizarre et captivant,

25   Et lorsque j'entrevois un fantôme débile
      Traversant de Paris le fourmillant tableau,
      Il me semble toujours que cet être fragile
      S'en va tout doucement vers un nouveau berceau;

      A moins que, méditant sur la géométrie,
30   Je ne cherche, à l'aspect de ces membres discords,
      Combien de fois il faut que l'ouvrier varie
      La forme de la boîte où l'on met tous ces corps.

                                        [larmes,
      — Ces yeux sont des puits faits d'un million de
      Des creusets qu'un métal refroidi pailleta...
35   Ces yeux mystérieux ont d'invincibles charmes
      Pour celui que l'austère Infortune allaita!

                          II

      De Frascati défunt Vestale enamourée;
      Prêtresse de Thalie, hélas! dont le souffleur
      Enterré sait le nom; célèbre évaporée
40   Que Tivoli jadis ombragea dans sa fleur,

      Toutes m'enivrent; mais parmi ces êtres frêles
      Il en est qui, faisant de la douleur un miel,
      Ont dit au Dévouement qui leur prêtait ses ailes :
      Hippogriffe puissant, mène-moi jusqu'au ciel!

45   L'une, par sa patrie au malheur exercée,

L'autre, que son époux surchargea de douleurs,
L'autre, par son enfant Madone transpercée,
Toutes auraient pu faire un fleuve avec leurs
                                          [pleurs!

III

Ah! que j'en ai suivi de ces petites vieilles!
50   Une, entre autres, à l'heure où le soleil tombant
Ensanglante le ciel de blessures vermeilles,
Pensive, s'asseyait à l'écart sur un banc,

                                          [cuivre,
Pour entendre un de ces concerts, riches de
Dont les soldats parfois inondent nos jardins,
55   Et qui, dans ces soirs d'or où l'on se sent revivre,
Versent quelque héroïsme au cœur des citadins.

Celle-là, droite encor, fière et sentant la règle,
Humait avidement ce chant vif et guerrier;
Son œil parfois s'ouvrait comme l'œil d'un vieil
                                          [aigle;
60   Son front de marbre avait l'air fait pour le laurier!

IV

Telles vous cheminez, stoïques et sans plaintes,
A travers le chaos des vivantes cités,
Mères au cœur saignant, courtisanes ou saintes,
Dont autrefois les noms par tous étaient cités.

65   Vous qui fûtes la grâce ou qui fûtes la gloire,
Nul ne vous reconnaît! un ivrogne incivil
Vous insulte en passant d'un amour dérisoire;
Sur vos talons gambade un enfant lâche et vil.

Honteuses d'exister, ombres ratatinées,
70   Peureuses, le dos bas, vous côtoyez les murs;
Et nul ne vous salue, étranges destinées!
Débris d'humanité pour l'éternité mûrs!

Mais moi, moi qui de loin tendrement vous sur-
[veille,

L'œil inquiet, fixé sur vos pas incertains,

75   Tout comme si j'étais votre père, ô merveille!
Je goûte à votre insu des plaisirs clandestins :

Je vois s'épanouir vos passions novices;
Sombres ou lumineux, je vis vos jours perdus;
Mon cœur multiplié jouit de tous vos vices!

80   Mon âme resplendit de toutes vos vertus!

Ruines! ma famille! ô cerveaux congénères!
Je vous fais chaque soir un solennel adieu!
Où serez-vous demain, Eves octogénaires,
Sur qui pèse la griffe effroyable de Dieu ?

LA CHEVELURE

O toison, moutonnant jusque sur l'encolure!
O boucles! O parfum chargé de nonchaloir!
Extase! Pour peupler ce soir l'alcôve obscure
Des souvenirs dormant dans cette chevelure,

5   Je la veux agiter dans l'air comme un mouchoir!

La langoureuse Asie et la brûlante Afrique,
Tout un monde lointain, absent, presque défunt,
Vit dans tes profondeurs, forêt aromatique!
Comme d'autres esprits voguent sur la musique,

10   Le mien, ô mon amour, nage sur ton parfum.

J'irai là-bas où l'arbre et l'homme, pleins de sève,
Se pâment longuement sous l'ardeur des climats;
Fortes tresses, soyez la houle qui m'enlève!
Tu contiens, mer d'ébène, un éblouissant rêve

15   De voiles, de rameurs, de flammes et de mâts :

Un port retentissant où mon âme peut boire
A grands flots le parfum, le son et la couleur;

                          [moire,
Où les vaisseaux, glissant dans l'or et dans la
Ouvrent leurs vastes bras pour embrasser la
20 D'un ciel pur où frémit l'éternelle chaleur. [gloire

Je plongerai ma tête amoureuse d'ivresse
Dans ce noir océan où l'autre est enfermé;
Et mon esprit subtil que le roulis caresse
Saura vous retrouver, ô féconde paresse,
25 Infinis bercements du loisir embaumé!

Cheveux bleus, pavillon de ténèbres tendues,
Vous me rendez l'azur du ciel immense et rond;
Sur les bords duvetés de vos mèches tordues
Je m'enivre ardemment des senteurs confondues
30 De l'huile de coco, du musc et du goudron.

                          [lourde
Longtemps! toujours! ma main dans ta crinière
Sèmera le rubis, la perle et le saphir,
Afin qu'à mon désir tu ne sois jamais sourde!
N'es-tu pas l'oasis où je rêve, et la gourde
35 Où je hume à longs traits le vin du souvenir?

L'INVITATION AU VOYAGE

        Mon enfant, ma sœur,
        Songe à la douceur
D'aller là-bas vivre ensemble!
        Aimer à loisir,
5   Aimer et mourir
Au pays qui te ressemble!
        Les soleils mouillés
        De ces ciels brouillés
Pour mon esprit ont les charmes
10   Si mystérieux
        De tes traîtres yeux,
Brillant à travers leurs larmes.

Là, tout n'est qu'ordre et beauté,
Luxe, calme et volupté.

15   Des meubles luisants,
              Polis par les ans,
         Décoreraient notre chambre;
              Les plus rares fleurs
              Mêlant leurs odeurs
20   Aux vagues senteurs de l'ambre,
              Les riches plafonds,
              Les miroirs profonds,
         La splendeur orientale,
              Tout y parlerait
25   A l'âme en secret
         Sa douce langue natale.

Là, tout n'est qu'ordre et beauté,
Luxe, calme et volupté.

              Vois sur ces canaux
30   Dormir ces vaisseaux
         Dont l'humeur est vagabonde;
              C'est pour assouvir
              Ton moindre désir
         Qu'ils viennent du bout du monde.
35   — Les soleils couchants
              Revêtent les champs,
         Les canaux, la ville entière,
              D'hyacinthe et d'or;
              Le monde s'endort
40   Dans une chaude lumière.

Là, tout n'est qu'ordre et beauté,
Luxe, calme et volupté.

LE CRÉPUSCULE DU SOIR

Voici le soir charmant, ami du criminel;
Il vient comme un complice, à pas de loup; le ciel
Se ferme lentement comme une grande alcôve,
Et l'homme impatient se change en bête fauve.
5   O soir, aimable soir, désiré par celui   [d'hui
Dont les bras, sans mentir, peuvent dire : Aujour-
Nous avons travaillé! — C'est le soir qui soulage
Les esprits que dévore une douleur sauvage,
Le savant obstiné dont le front s'alourdit,
10   Et l'ouvrier courbé qui regagne son lit.   [sphère
Cependant des démons malsains dans l'atmo-
S'éveillent lourdement, comme des gens d'affaire,
Et cognent en volant les volets et l'auvent.
A travers les lueurs que tourmente le vent
15   La Prostitution s'allume dans les rues;
Comme une fourmilière elle ouvre ses issues;
Partout elle se fraye un occulte chemin,
Ainsi que l'ennemi qui tente un coup de main;
Elle remue au sein de la cité de fange
20   Comme un ver qui dérobe à l'Homme ce qu'il
On entend çà et là les cuisines siffler,   [mange.
Les théâtres glapir, les orchestres ronfler;
Les tables d'hôte, dont le jeu fait les délices,
S'emplissent de catins et d'escrocs, leurs complices
25   Et les voleurs, qui n'ont ni trêve ni merci,
Vont bientôt commencer leur travail, eux aussi,
Et forcer doucement les portes et les caisses
Pour vivre quelques jours et vêtir leurs maîtresses.

Recueille-toi, mon âme, en ce grave moment,
30   Et ferme ton oreille à ce rugissement.   [grissent!
C'est l'heure où les douleurs des malades s'ai-
La sombre Nuit les prend à la gorge; ils finissent
Leur destinée et vont vers le gouffre commun;
L'hôpital se remplit de leurs soupirs. — Plus d'un

35   Ne viendra plus chercher la soupe parfumée,
     Au coin du feu, le soir, auprès d'une âme aimée.

     Encore la plupart n'ont-ils jamais connu
     La douceur du foyer et n'ont jamais vécu!

BIEN LOIN D'ICI

              C'est ici la case sacrée
              Où cette fille très parée,
              Tranquille et toujours préparée,

              D'une main éventant ses seins,
     5   Et son coude dans les coussins,
              Écoute pleurer les bassins;

              C'est la chambre de Dorothée.
              — La brise et l'eau chantent au loin
              Leur chanson de sanglots heurtée
     10   Pour bercer cette enfant gâtée.

              Du haut en bas, avec grand soin,
              Sa peau délicate est frottée
              D'huile odorante et de benjoin.
              — Des fleurs se pâment dans un coin.

TABLE DES MATIÈRES

Chronologie 5
Introduction 15
Bibliographie 27

PETITS POÈMES EN PROSE

A Arsène Houssaye 31
    I. L'étranger 33
    II. Le désespoir de la vieille 35
    III. Le « Confiteor » de l'artiste 37
    IV. Un plaisant 39
    V. La chambre double 41
    VI. Chacun sa chimère 45
    VII. Le fou et la Vénus 47
    VIII. Le chien et le flacon 49
    IX. Le mauvais vitrier 51
    X. A une heure du matin 55
    XI. La femme sauvage et la petite-maîtresse. 57
    XII. Les foules 61
    XIII. Les veuves 63
    XIV. Le vieux saltimbanque 67
    XV. Le gâteau 71
    XVI. L'horloge 75
    XVII. Un hémisphère dans une chevelure . . 77
    XVIII. L'invitation au voyage 79
    XIX. Le joujou du pauvre 83
    XX. Les dons des fées 85
    XXI. Les tentations ou Eros, Plutus et la
        Gloire 89
    XXII. Le crépuscule du soir 93
    XXIII. La solitude 95
    XXIV. Les projets 97
    XXV. La belle Dorothée 99
    XXVI. Les yeux des pauvres 101
    XXVII. Une mort héroïque 103

XXVIII. La fausse monnaie.   109
  XXIX. Le joueur généreux.   111
   XXX. La corde   115
  XXXI. Les vocations   119
 XXXII. Le thyrse.   123
XXXIII. Enivrez-vous   125
XXXIV. Déjà!.   127
 XXXV. Les fenêtres.   129
XXXVI. Le désir de peindre.   131
XXXVII. Les bienfaits de la lune.   133
XXXVIII. Laquelle est la vraie ?.   135
XXXIX. Un cheval de race   137
    XL. Le miroir.   139
   XLI. Le port.   141
  XLII. Portraits de maîtresses   143
 XLIII. Le galant tireur   149
 XLIV. La soupe et les nuages   151
  XLV. Le tir et le cimetière   153
 XLVI. Perte d'auréole   155
XLVII. Mademoiselle Bistouri   157
XLVIII. Any where out of the world   161
 XLIX. Assommons les pauvres!   163
     L. Les bons chiens   167

ÉPILOGUE.   171

APPENDICES

Projets de poèmes en prose   173
Manuscrits de la collection Godoy.   175
Première version des deux premiers poèmes en
prose publiés (1855)   176
Poèmes en vers correspondant à quelques-uns des
poèmes en prose.   178

ANTHOLOGIES POÉTIQUES FRANÇAISES MOYEN ÂGE, 1 (153) - 2 (154) - XVIᵉ SIÈCLE, 1 (45) - 2 (62) - XVIIᵉ SIÈCLE, 1 (74) - 2 (84) - XVIIIᵉ SIÈCLE (101)

DICTIONNAIRES anglais-français, français-anglais (1) - Dictionnaire espagnol-français, français-espagnol (2) - Dictionnaire italien-français, français-italien (9) - Dictionnaire allemand-français, français-allemand (10) - Dictionnaire latin-français (123) - Dictionnaire français-latin (124) - Dictionnaire orthographique (276)

AMADO (Jorge) Mar Morto (388)
ANDERSEN Contes (230)
ARIOSTE Roland furieux. Textes choisis et présentés par Italo CALVINO (380)
ARISTOPHANE Théâtre complet 1 (115) - 2 (116)
ARISTOTE Éthique à Nicomaque (43)
AUBIGNÉ Les Tragiques (190)
★★★ Aucassin et Nicolette (texte original et traduction) (261)
BALZAC Eugénie Grandet (3) - Le Médecin de campagne (40) - Une fille d'Ève (48) - La Femme de trente ans (69) - Le Contrat de mariage (98) - Illusions perdues (107) - Le Père Goriot (112) - Le Curé de village (135) - Pierrette (145) - Le Curé de Tours - La Grenadière - L'Illustre Gaudissart (165) - Splendeurs et Misères des courtisanes (175) - Physiologie du mariage (187) - Les Paysans (224) - La Peau de chagrin (242) - Le Lys dans la vallée (254) - La Cousine Bette (287) - Mémoires de deux Jeunes Mariées (313) - Béatrix (327) - Le Chef-d'œuvre inconnu - Gambara - Massimilla Doni (365) - Annette et le criminel (391)
BARBEY D'AUREVILLY Le Chevalier des Touches (63) - L'Ensorcelée (121) - Les Diaboliques (149)
BAUDELAIRE Les Fleurs du Mal et autres poèmes (7) - Les Paradis artificiels (89) - Petits Poèmes en prose (Le Spleen de Paris) (136) - L'Art romantique (172)
BEAUMARCHAIS Théâtre (76)
BECKFORD Vathek (375)
BERLIOZ Mémoires, 1 (199) - 2 (200)
BERNARD Introduction à l'étude de la médecine expérimentale (85)
BERNARDIN DE SAINT-PIERRE Paul et Virginie (87)
BOILEAU Œuvres, 1 (205) - 2 (206)
BOSSUET Discours sur l'histoire universelle (110) - Sermon sur la mort et autres sermons (231)
BUSSY-RABUTIN Histoire amoureuse des Gaules (130)
CALVINO voir **ARIOSTE**
CARROLL (Lewis) Tout Alice (312)
CASANOVA Mémoires (290)
CAZOTTE Le Diable amoureux (361)
CERVANTÈS L'Ingénieux Hidalgo Don Quichotte de la Manche, 1 (196) - 2 (197)
CÉSAR La Guerre des Gaules (12)

CHAMFORT Produits de la civilisation perfectionnée - Maximes et pensées - Caractères et anecdotes (188)
CHATEAUBRIAND Atala-René (25) - Génie du christianisme, 1 (104) - 2 (105) - Itinéraire de Paris à Jérusalem (184) - Vie de Rancé (195)
CICÉRON De la république - Des lois (38) - De la vieillesse - De l'amitié - Des devoirs (156)
★★★ Code civil (Le) (318)
COLETTE La Naissance du jour (202) - Le Blé en herbe (218) - La Fin de Chéri (390)
COMTE Catéchisme positiviste (100)
CONSTANT Adolphe (80)
★★★ Constitutions de la France depuis 1789 (Les) (228)
★★★ Coran (Le) (237)
CORNEILLE Théâtre complet, 1 (179) - 2 (342)
COURTELINE Théâtre (65) - Messieurs les Ronds-de-cuir (106) - Les Gaîtés de l'escadron (247)
CROS Le Coffret de Santal - Le Collier de griffes (329)
CYRANO DE BERGERAC Voyage dans la lune (L'Autre Monde ou les États et Empire de la Lune), suivi de Lettres diverses (232)
DAUDET Aventures prodigieuses de Tartarin de Tarascon (178) - Lettres de mon moulin (260)
DESCARTES Discours de la méthode, suivi d'extraits de la Dioptrique, des Météores, du Monde, de l'Homme, de Lettres et de la Vie de Descartes par Baillet (109) - Méditations métaphysiques (328)
DICKENS David Copperfield 1 (310) - 2 (311)
DIDEROT Entretien entre d'Alembert et Diderot - Le Rêve de d'Alembert - Suite de l'Entretien (53) - Le Neveu de Rameau (143) - Entretiens sur le fils naturel - Paradoxe sur le comédien (164) - La Religieuse, suivie des extraits de la Correspondance littéraire de Grimm (177) - Les Bijoux indiscrets (192) - Jacques Le Fataliste (234) - Supplément au voyage de Bougainville - Pensées philosophiques - Lettres sur les aveugles (252) - Contes et entretiens (294)
DIOGÈNE LAËRCE Vie, Doctrines et Sentences des philosophes illustres, 1 : Livres 1 à 5 (56) - Vie, Doctrines et Sentences des philosophes illustres, 2 : Livres 6 à 10 (77)
DOSTOÏEVSKI Crime et Châtiment, 1 (78) - 2 (79) - Récits de la maison des morts (337)
DU BELLAY Les Antiquités de Rome - Les Regrets (245)
DUMAS Les Trois Mousquetaires (144) - Vingt ans après, 1 (161) - 2 (162)
DUMAS Fils La Dame aux camélias (381)
ÉPICTÈTE Voir **MARC-AURÈLE** (16)
ÉRASME Éloge de la folie, suivi de la Lettre d'Érasme à Dorpius (36)
ESCHYLE Théâtre complet (8)

EURIPIDE Théâtre complet, 1 (46) - 2 (93) - 3 (99) - 4 (122)
FÉNELON Les Aventures de Télémaque (168)
FLAUBERT Salammbô (22) - Trois contes (42) - Madame Bovary, suivie des Actes du procès (86) - Bouvard et Pécuchet, suivi du Dictionnaire des idées reçues (103) - La Tentation de saint Antoine (131) - L'Éducation sentimentale (219) - L'Éducation sentimentale (Première version). Passion et vertu (339)
FROMENTIN Dominique (141)
GAUTIER Mademoiselle de Maupin (102) - Le Roman de la momie (118) - Le Capitaine Fracasse (147) - Voyage en Espagne (367) - Récits fantastiques (383)
GOBINEAU La Renaissance (349)
GŒTHE Faust (24). - Les Souffrances du jeune Werther (169)
GOGOL Récits de Pétersbourg (189)
GOLDONI Théâtre (322)
HAWTHORNE La Lettre écarlate (382)
HOBBES De Cive (385)
HOFFMANN Contes fantastiques 1 (330) - 2 (358) - 3 (378)
HÖLDERLIN Hymnes - Élégies (352)
HOMÈRE L'Iliade (60) - L'Odyssée (64)
HORACE Œuvres : Odes - Chant séculaire - Épodes - Satires - Épître - Art poétique (159)
HUGO Quatrevingt-Treize (59) - Les Chansons des rues et des bois (113) - Les Misérables, 1 (125) - 2 (126) - 3 (127) - Notre-Dame de Paris (134) - La Légende des siècles, 1 (152) - 2 (158) - Odes et Ballades - Les Orientales (176) - Cromwell (185) - Les Feuilles d'automne, Les Chants du crépuscule (235) - Châtiments (301) - Théâtre (319) - (324) - Les Travailleurs de la mer (341) - L'Homme qui rit, 1 (359) - 2 (384)
HUYSMANS A rebours (298) - Là-bas (302)
KANT Critique de la raison pure (257)
LABICHE Théâtre, 1 (34) - 2 (331)
LA BRUYÈRE Les Caractères précédés des Caractères de THÉOPHRASTE, suivis du Discours de réception à l'Académie (72)
LACLOS Les Liaisons dangereuses (13)
LA FAYETTE La Princesse de Clèves (82)
LA FONTAINE Fables (95) - Contes et Nouvelles en vers (338)
LAMARTINE Jocelyn (138)
LA ROCHEFOUCAULD Maximes et réflexions diverses (288)
LAUTRÉAMONT Œuvres complètes : Les Chants de Maldoror - Poésies et Lettres (208)
LEIBNIZ Nouveaux Essais sur l'entendement humain (92) - Essais de Théodicée sur la bonté de Dieu, la liberté de l'homme et l'origine du mal (209)
LESAGE Histoire de Gil Blas de Santillane (286)
★★★ Lettres édifiantes et curieuses de Chine (315).

LORRIS (DE)/MEUN (DE) Le Roman de la Rose (texte original) (270)
LUCRÈCE De la nature (30)
MACHIAVEL Le Prince (317)
MALHERBE Œuvres poétiques (251)
MALLARMÉ Vers et prose (295)
MARC-AURÈLE Pensées pour moi-même, suivies du Manuel d'ÉPICTÈTE (16)
MARGUERITE de NAVARRE Heptameron (355)
MARIVAUX Le Paysan parvenu (73) - La Vie de Marianne (309)
MAROT Œuvres poétiques (259)
MARX Le Capital, Livre I (213)
MAUPASSANT Contes de la Bécasse (272) - Une vie (274) Mademoiselle Fifi (277) - Le Rosier de Madame Husson (283) - Contes du jour et de la nuit (292) - La Main gauche (300) - La Maison Tellier. Une partie de campagne (356)
MAURIAC Un adolescent d'autrefois (387)
MELVILLE Moby Dick (236)
MÉRIMÉE Colomba (32) - Théâtre de Clara Gazul, suivi de La Famille de Carvajal (173) - Les Ames du Purgatoire - Carmen (263) - La Vénus d'Ille et autres nouvelles (368)
MICHELET La Sorcière (83)
MILL (STUART) L'Utilitarisme (183)
★★★ Mille et Une Nuits, 1 (66) - 2 (67), 3 (68)
MISTRAL (F.) Mireille (304)
MOLIÈRE Œuvres complètes, 1 (33) - 2 (41) - 3 (54) - 4 (70)
MONTAIGNE Essais - Livre I (210) - 2 (211) - 3 (212)
MONTESQUIEU Lettres persanes (19) - Considérations sur les causes de la grandeur des Romains et de leur décadence (186) - De l'esprit des lois, 1 (325) - 2 (326)
MORAVIA Nouvelles romaines (389)
MUSSET Théâtre, 1 (5) - 2 (14)
NERVAL Les Filles du feu - Les Chimères (44) - Promenades et souvenirs - Lettres à Jenny - Pandora - Aurélia (250) - Le voyage en Orient, 1 (332) 2 (333)
NODIER Smarra, Trilby et autres Contes (363)
OLLIER La mise en scène (395)
OVIDE Les Métamorphoses (97)
PASCAL Lettres écrites à un provincial (151) - Pensées (266)
PENSEURS GRECS AVANT SOCRATE De Thalès de Milet à Prodicos de Céos (31)
PÉTRONE Le Satyricon (357)
PHILIPPE (Ch. L.) Bubu de Montparnasse (303)
PLATON Le Banquet - Phèdre (4) - Apologie de Socrate - Criton - Phédon (75) - La République (90) - Premiers Dialogues : Second Alcibiade - Hippias mineur - Premier Albiciade - Euthyphron - Lachès - Charmide - Lysis - Hippias majeur - Ion (129) - Protagoras - Euthydème - Gorgias

- Ménexène - Ménon - Cratyle (146) - Théétète - Parménide (163) - Sophiste - Politique - Philèbe - Timée - Critias (203)
POE Histoires extraordinaire (39) - Nouvelles Histoires extraordinaires (55) - Histoires grotesques et sérieuses (114)
PRÉVOST Histoire du chevalier des Grieux et de Manon Lescaut (140)
PROUDHON Qu'est-ce que la propriété ? (91)
RABELAIS La Vie très horrifique du grand Gargantua (180) - Pantagruel roy des Dipsodes, restitué à son naturel avec ses faictz et prouesses espovantables (217) - Les Tiers livre des faicts et dicts héroïques du bon Pantagruel (225) - Le Quart livre des faicts et dicts héroïques du bon Pantagruel (240)
RACINE Théâtre complet, 1 (27) - 2 (37)
RENAN Souvenirs d'enfance et de jeunesse (265)
RENARD Poil de carotte (58) - Histoires naturelles (150)
RÉTIF DE LA BRETONNE La Paysanne pervertie (253)
RIMBAUD Œuvres poétiques (20)
★★★ Roman de Renart (Le) (Texte original) (270)
RONSARD Discours - Derniers Vers (316) - Les Amours (335)
ROUSSEAU Les Rêveries du promeneur solitaire (23) - Du Contrat social (94) - Émile ou de l'éducation (117) - Julie ou la Nouvelle Héloïse (148) - Lettre à M. d'Alembert sur les spectacles (160) - Les Confessions, 1 (181) - 2 (182) - Discours sur les sciences et les arts - Discours sur l'origine de l'inégalité (243)
SADE Les Infortunes de la vertu (214)
SAINT AUGUSTIN Les Confessions (21)
SAINTE-BEUVE Voluptés (204)
SALLUSTE Conjuration de Catalina - Guerre de Jugurtha - Histoires (174)
SAND La Mare au diable (35) - La Petite Fadette (155) - Mauprat (201) - Lettres d'un voyageur (241)
SCARRON Le Roman comique (360)
SÉVIGNÉ Lettres (282)
SHAKESPEARE Richard III - Roméo et Juliette - Hamlet (6) - Othello - Le Roi Lear - Macbeth (17) - Le Marchand de Venise - Beaucoup de bruit pour rien - Comme il vous plaira (29) - Les Deux Gentilshommes de Vérone - La Mégère apprivoisée - Peines d'amour perdues (47) - Titus Andronicus - Jules César - Antoines et Cléopâtre - Coriolan (61) - Le Songe d'une nuit d'été - Les Joyeuses Commères de Windsor - Le Soir des Rois (96)
SHELLEY (Mary) Frankenstein (320)
SOPHOCLE Théâtre complet (18)
SOREL Histoire comique de Francion (321)
SPINOZA Œuvres, 1 (34) - 2 (50) - 3 (57) - 4 (108)
STAËL De l'Allemagne, 1 (166) - 2 (167)

STENDHAL Le Rouge et le Noir (11) - La Chartreuse de Parme (26) - De l'Amour (49) - Armance ou quelques scènes d'un salon de Paris en 1827 (137) - Racine et Shakespeare (226) - Chroniques Italiennes (293) Lucien Leuwen, 1 (350) - 2 (351)
STERNE Voyage sentimental (372) - Vie et opinions de Tristram Shandy (371)
THACKERAY Le Livre des snobs (373)
THÉOPHRASTE Voir **LA BRUYÈRE** (72)
THUCYDIDE Histoire de la guerre du Péloponnèse, 1 (81) - 2 (88)
TOCQUEVILLE De la démocratie en Amérique, 1 (353), 2 (354)
TOURGUENIEV Premier amour (275)
TZARA Grains et Issues (364)
VALLÈS L'Enfant (193) - Le Bachelier (221) - L'insurgé (223)
VAUVENARGUES Introduction à la connaissance de l'esprit humain et autres œuvres (336)
VERLAINE Fêtes galantes - Romances sans paroles - La Bonne Chanson - Écrits sur Rimbaud (285) - Poèmes Saturniens - Confessions (289) - Sagesse - Parallèlement - Les Mémoires d'un veuf (291)
VERNE Voyage au centre de la terre (296) - Vingt mille lieues sous les mers (297) - Le Tour du monde en 80 jours (299) - De la terre à la lune et Autour de la lune (305) - Cinq semaines en ballon (323)
VIGNY Chatterton - Quitte pour la peur (171) - Œuvres poétiques (306)
VILLEHARDOUIN La Conquête de Constantinople (215)
VILLIERS DE L'ISLE-ADAM Contes cruels (340)
VILLON Œuvres poétiques (52)
VIRGILE L'Énéide (51) - Les Bucoliques - Les Géorgiques (128)
VOLTAIRE Lettres philosophiques (15) - Dictionnaire philosophique (28) - Romans et Contes (111) - Le Siècle de Louis XIV, 1 (119) - 2 (120) - Histoire de Charles XII (170)
VORAGINE La Légende dorée, 1 (132), 2 (133)
XÉNOPHON Œuvres complètes, 1 (139) - 2 (142) - 3 (152)
ZOLA Germinal (191) - Nana (194) - L'Assomoir (198) - Pot-Bouille (207) - La Fortune des Rougon (216) - L'Affaire Dreyfus (La Vérité en marche) (220) - La Curée (227) - Thérèse Raquin (229) - Écrits sur l'art - Mon Salon - Manet (238) - Au Bonheur des Dames (239) - Contes à Ninon (244) - Le Roman expérimental (248) - Le Ventre de Paris (246) - La Faute de l'abbé Mouret (249) - La Conquête de Plassans (255) - La Bête humaine (258) - Une page d'amour (262) - Son Excellence Eugène Rougon (264) - La Terre (267) - L'Argent (271) - La Joie de vivre (273) - L'Œuvre (278) - Le Rêve (279) - Le Docteur Pascal (280) - La Débâcle (281)

GF — TEXTE INTÉGRAL — GF

9872-1983. — Mame, Tours.
N° d'édition 9890. — 1er trimestre 1967. — Printed in France.